BOVEN ALLE VRAGEN

Catalijn Claes

Boven alle vragen

Westfriesland

Eerste druk in deze uitvoering 2009
www.kok.nl

NUR 344
ISBN 978 90 205 2954 8

Copyright © 2009 by 'Westfriesland', Hoorn/Kampen
Omslagillustratie: Jack Staller
Omslagontwerp: Van Soelen Communicatie

HOOFDSTUK 1 🙂

Haastig schiet Hannes Lanting in zijn jack, schuift de grendel van de achterdeur en stapt naar buiten... 'Brr, wat koud,' mompelt hij. Hij staat even stil op het straatje en tuurt naar boven, waar in het hemelruim de sterren staan te flonkeren. Het heeft vannacht ruig gevroren, dat geeft het vooruitzicht van een dag mooi weer. Maar nu is het fris, de kou snijdt in de randjes van zijn oren en prikkelt zijn neus. Hij slaat zijn kraag op, stopt zijn handen in zijn zakken en gaat op weg naar de rokerij. Hij heeft er als meesterknecht de leiding over het werkvolk; de zouters, de rokers en de inpakkers.

Bam-bam-bam, zes heldere slagen slaat de klok van het hervormde kerkje. Het vertelt Hannes dat hij zich moet haasten, wil hij op tijd in de rokerij zijn. Hij klemt de tas met zijn natje en droogje wat steviger onder de arm en legt er een stapje bovenop. Als de nachtvorst aanhoudt, belooft het een vroeg wintertje te worden. Daar zit niemand hier in de buurt op te wachten. De bewoners hebben al kopzorg genoeg en de kolen zijn duur. Maar Harders, de kolenboer, kent zijn pofklantjes op een prik en heeft vertrouwen in hen. Da's 's winters kopen op de lat en 's zomers bij een goede vangst van sardien en makreel, afbetalen. Want Harders standpunt is: als God jou geeft, geef jij mij – en daarin is hij nooit teleurgesteld. En zo houdt Harders, met zijn snoet zwart van kolenstof, van hoog tot laag de voetjes droog en warm.

Op de hoek van de Wagenstraat steekt Hannes het Fazantenpleintje over. Hol klinken zijn voetstappen op de gele straatklinkers. Het geluid weerkaatst tegen de huizen met hun rode pannendaken waaronder de meeste bewoners nog op één oor liggen met hun vreugdes en verdrietjes, en waarin ze zichzelf zien als het middelpunt van braafheid of ondeugd. Of, zoals Aaltje Verschoor het zo mooi kan zeggen: 'Waar de rechterhand niet weet wat de linker doet'.

Aaltje Verschoor is jarenlang huishoudster geweest bij pastoor Loer van de Onze-Lieve-Vrouwenkerk op de Loodsgracht, en bij toeval hier op het Fazantenpleintje terechtgekomen, en da's een raadsel voor menigeen. Want gezien Aaltjes geloofs-overtuiging en na een vroom leven van gedane arbeid, behoorde ze haar laatste levensjaren te slijten in het hofje van de Heilige Theresia. Menige bewoner hier in de buurt kan dat 'weten' nog steeds niet goed verwerken en in het vuur van hun gesprek struikelt deze of gene daar nog weleens over. Prompt krijgen ze dan lik op stuk van dominee Twisk, want zijn motto is: katholiek of protestant, wij allen zijn kinderen van één Vader, en Zijn wijsheid is alom vertegenwoordigd. Met die woorden kan een ieder het doen, en die het hardst roepen, druipen als eerste af. En Hannes? Protestant of katholiek, het zegt hem niks; elk straatje heeft zijn eigen kerk, en als een ieder naar de geboden leeft, is het goed toeven op aarde.

Hannes gaat de Groenebrug over, een twintigtal meter verder slaat hij rechts de Keldersteeg in – het is meer een brede slop, waar aan het eind de rokerij is gevestigd. De rokerij van Jongkees staat in de regio bekend om zijn eersteklas kwaliteit van gerookte sardien, makreel en bokking. Hannes heeft er de leiding, zowel over het volk als over de kwaliteit van het roken. En ook al moet hij mee in de vooruitgang van elektrisch roken, hij houdt vast aan de oude manier met eikenmot, want geen beter smaak en goudkleur dan juist door die 'mot'. Maar hoe praat je dat het jongvolk aan? Ze geloven niet meer in dat gescharrel met eikenmot, en nee: je moet je geest dwingen in de tijd mee te gaan. Ja, ja, die jongelui, potige jongens zijn het, met handen aan hun lijf: Arie, Wessel, Geert, Riekelt, en niet te vergeten de zoon van Jongkees, Jasper. 'Ouwe' Jongkees had hem – Hannes – in vertrouwen genomen over zijn naamgenoot, enig kind en erfgenaam.

'Jij en ik, Lanting, we kennen de wereld, nietwaar? Maar dat jongvolk van tegenwoordig, mijn eigen zoon net zo goed, denkt alles beter te weten dan wij.' Wat had hij daarop moeten zeggen? Maar Jongkees had met zijn hand gezwaaid, of-ie wilde zeggen: laat maar, en was weer hoofdschuddend bij hem vandaan gelopen.

6

Zo, Hannes is waar hij wezen moet. Hij steekt de sleutel in het slot, opent de deur van de rokerij en stapt naar binnen. Onder een paar rookkasten gloeien nog wat warm-rode puntjes, daar is nog wat vuur dat voortsmeult onder het as. Warmte en de geur van rook dringt in zijn neusgaten. Vanochtend met die intense kilte die tot op je botten doordringt, is die warmte een genot, maar zomers is het een verschrikking. Dan puft iedereen en het humeur onder het manvolk wordt er niet beter op. Een en al geweeklaag. Het klamme zweet doet de overall aan je lichaam kleven, sommigen verwensen dan de rokerij en de meest moedigen komen hun beklag doen op het kantoor. Maar Jongkees zelf, ook met een rooie kop van de hitte, snauwt gewoonlijk zijn volk af; hij weet ook wel dat het 's zomers in de rokerij niet om te harden is. Maar alle tijden krijgen weer tijden.

En juist die woorden kleven hem aan zijn hersens vast en zetten hem aan het denken. Voor de zoveelste keer stelt hij zich dezelfde vraag: gaat 'ouwe' Jongkees uiteindelijk tóch door de knieën voor algeheel roken met elektriciteit? Sinds vorige maand draaien al een paar rookkasten op proef, en Jasper junior is er dolenthousiast over. Hannes neemt het dat jong niet eens kwalijk, natuurlijk houdt die zijn oog op de toekomst gericht. Da's meegaan in de tijd, overschakelen op elektrisch roken, dan vaar je mee in de welvaart, en zo niet, dan kun je je boeltje wel opdoeken.

Maar voor Hannes, en met hem nog een paar oudgedienden, hoeft het niet. Jaren is het zo gegaan, en de kwaliteit van Rokerij Jongkees is in heel de regio bekend, dus laten zo en er niet aan morrelen.

Hij steekt het licht aan. Vóór hem de grote vierkante ruimte, met rechts de rookkasten en links de grote tafel met daarop kisten en inpakmateriaal. In het midden de pekelkuipen met haring dat aan de spies moet worden geregen voor de eerste rook, op een achterafje een aantal bakken met gezouten bokking. Op een van de bakken hangt een briefje: 'Laatste partijtje voor Govers, moet vandaag erdoor.' Ja, ja, dat kennen we. Altijd op de valreep, en die Govers komt er nog goed mee weg, tot nijd en kift van anderen. Hoe het ook zij, dat wordt vandaag wapperen met de handjes. Vlug kleedt Hannes zich om, schiet in zijn overall en haast zich naar het vuur. Bedrijvig knielt hij voor de rookkasten neer, wrijft met een lange koperen tang over de smeulende as, gooit er vlug een paar handjes eikenmot over. Meteen gloeien overal kleine lichtspettertjes op. Dieper buigt hij zich voorover, blaast voorzichtig hier en daar vlug wat mot erbij en knikt tevreden, zo zal het wel gaan. Onder de eerste kasten stijgen al kleine rooksliertjes omhoog, als hij met de laatste klaar is. Hij bromt tevreden, zo gaat het goed. De kasten voor warmen op. En die twee elektrische kasten, daar bemoeit hij zich niet mee, al die nieuwigheid. Jaren is het goed gegaan, en nu opeens... Als je dat jongvolk hoort, lijkt het of er vandaag de dag niks meer deugt. Hij spietst de haring, slaat nog eens een blik op de rookkasten. Het vuurtje trekt goed, en de overtollige rook verdwijnt door de schoorsteen, die lekker trekt met dit heldere weertje. Zo, het spietsen is klaar, het roken kan beginnen. Zilverkleurige haringen hangen in rijen in de rookkast en over goed drie kwartier kunnen ze d'r uit, blank vanbinnen en goud vanbuiten, eersteklas waar, geleverd door firma Jongkees en Zn. Jawel 'zoon', zolang Jasper junior tenminste niet afhaakt. Een mens moet immers met zijn tijd mee, vindt 'zoon', en een deel van het jongvolk is het hierin met hem eens: alles wordt beter en het levert grotere verdiensten op.

Hannes – geprikkeld door hun enthousiasme, want Jongkees betaalt zijn volk niet slecht – viel daar laatst nog narrig over uit: 'Eerst zien, dan geloven, een nieuwe investering moet zich eerst bewijzen.' Gejoel. 'Hé, hé, opa, loop toch een blokkie om.' Hij had gegriefd gezwegen, zich afvragend of hij heel die zaak nu zo verkeerd zag? Ook Jongkees zelf staat bij die plannen van zijn zoon niet te juichen. Jongkees en zoon, ze zitten niet meer op één lijn. Hannes met het jongvolk op de werkvloer evenmin, en zijn gevoel zei hem al eerder: als het zo door gaat, komt er tweespalt. En ja hoor, vorige week was het zover. Jasper junior kwam voor de zoveelste keer met zijn plannen op de proppen en eindigde zijn relaas: 'Je moet met de tijd meegaan, vader, en niet blijven hangen in oude gewoontes.' En zoonlief hield voet bij stuk: 'Vooruitzien, vader, wat jij doet is stilstand en achteruitgang.'

'Kom je nu hier om me dat speciaal te vertellen,' had Jongkees gemopperd.

'Ik kan het je niet genoeg vertellen,' norste zoonlief. 'Je leeft te veel met je gezicht naar het verleden. Zo raak je er op den duur uit. Is dat dan na jaren van hard werken je bedoeling?'

Toen op een geheel andere toon: 'Als ik eens een architect in de arm nam?' Dat was de vlam in de pan, Jongkees sprong op, gaf met zijn vuist een harde dreun op tafel en brulde: 'Een architect? Wat haal je nu in je dolle harses? Het zal hier gaan zoals ik het wil, en nou eruit.'

Maar het gesprek met zijn zoon bleef bij Jongkees wroeten. De baas nam hem – Hannes – in vertrouwen, en deed zijn beklag: 'Jaren is het in de rokerij goed gegaan en alles loopt nog steeds naar wens. En dan komt me dat jong opeens vertellen dat er hier niks deugt. Ik zou er bijna spijt van krijgen dat ik hem heb laten studeren. Wees eens eerlijk, Lanting, wat zeg jij d'r van?'

Ja, wat moest hij daarop zeggen? Dat hij ook een zoon heeft die heel anders tegen de wereld aankijkt dan zijn 'ouwe' vader, en met idealen in zijn kop rondloopt waar Hannes ook vraagtekens bij zet? Jongkees wachtte het antwoord niet af, ging door: 'Vader en zoon, ieder met zijn eigen inzicht, maar ik zie het meer als een strijd tussen twee winkeliers die vechten om hetzelfde pand.'

Voetstappen klinken achter Hannes. Hij draait zich om en kijkt in het gezicht van Riekelt Govers, één die op de hand is van Jongkees junior.

Een klap op zijn schouder: 'Zo Hannes, als vanouds weer nummer een?'

'Een moet de eerste zijn, Riekelt.'

'Juist, en dat is de meesterknecht, nietwaar Hannes?'

Hè, waarom zegt zo'n jongen dat nu? Voor hem is iedereen op de werkvloer gelijk, hij trekt de een niet voor de ander. Toch is er de laatste weken iets aan het veranderen in hun omgang, er zijn onderling meer woorden dan voorheen. Tijdens de schaft vormen ze ploegjes onder elkaar en is het hier en daar een hees gefluister. Moet je dat daar nu zien staan met dat verachtelijk trekje op zijn gezicht, je zou hem. Plots schiet hij in de lach en stelt voor: 'Als je wilt, Riekelt, mag je het een weekje van me overnemen. Da's vroeg uit de veren, jong.'

Verontwaardigd klinkt het: 'Ja, als ik gek ben, voor dag en dauw in de overall.'

'Wat nou, je bent toch geen oud ventje met zenuwscheuten, maar een stoere jonge kerel?'

'Maar jij bent en blijft de meesterknecht, en dat geeft jou verplichting voor de zaak, dus het eerst hier, en het laatst weg.'

Hannes sust gauw: 'Kom op, Riekelt, je kunt toch wel tegen een grapje?'

'O, nou, van dat soort grapjes ben ik niet gediend.'

'Wat nou, we zijn toch maats, of niet dan?'

Riekelt neemt hem kritisch op: 'Maats? Jij trekt op met die ouwe, wij met zijn zoon.'

Pats, hij weet genoeg. Zwaar als lood valt het weten op zijn hart: van nu af aan is het volk in twee kampen verdeeld. Zachtjes zegt hij: 'Kleed je maar om. Er moet vandaag heel wat door.' Hij somt op: 'Sardien, makreel, bokking,' en loopt bij hem vandaan.

'En de paling?' Hoort hij een sarrend toontje in Riekelts stem? Hij draait zich beheerst weer om en zegt rustig: 'Je vraagt naar de bekende weg, die gaan als laatste in de oude rookkasten, Jongkees zou niet anders willen.'

'O, nou, ik vraag maar.'

'En ik zeg het je,' antwoordt hij rustig, maar balt zijn vuisten in zijn broekzakken. Dat jong met zijn grote bek... 'En het laatste partijtje voor Govers.'

Verhip, nu hij erover doordenkt: Govers, die linkmichel, is een oom van Riekelt en een broer van diens vader, en er gaat geen week voorbij of dat tweetal gaat uit poeren. Zou Riekelt een voorbeeld aan die gladjanus nemen? Govers komt hem voor ogen: met zijn handen nonchalant in zijn zakken leunt hij gewoonlijk tegen het schot, de een na de andere straatdeun rolt fluitend van zijn lippen. Govers wacht zijn kans af, en ja hoor, op het laatste nippertje slaat hij zijn slag, en maar pingelen op het laatste zootje. 'Heb je niet, dan krijg je niet,' een tactiek die meestal opgaat, want waar moet je anders met dat overgebleven zootje vis naar toe? Govers weet dat en slaat er munt uit. Vijf houten kistjes met harde bokking, de grote bovenaan, de kleintjes onder, dan zie je het verschil niet zo gauw. Govers met zijn graaivlugge vingers is daar gehaaid in. Wat een andere handelaar niet lukt, lukt hem. Dat heerschap blijft nooit met zijn gerookte waar zitten. Is als laatste met zijn kar de rokerij uit, en heeft het eerst al zijn handel verkocht; met een tevreden grijns spuit hij zijn kar al schoon, als een andere venter pas driekwart van zijn rookwaar kwijt is. En Govers maar pochen op zijn handelsgeest waarmee hij iedereen te glad af is, zelfs Jongkees.

Volgens Govers zijn die 'ouwe' zijn dagen geteld, want binnenkort neemt zoonlief de zaak over, zo wist hij Hannes laatst te vertellen.

'Hoe weet jij dat nou? Je komt hier je gerookte vissies halen en de rest van de dag zwerf je langs de straat.'

'Hoe ik dat weet? Dat zal ik je vertellen, Lanting,' gaf hij grijnzend ten antwoord. 'De meeste mensen merken de bui pas op als ze nat worden.'

Is het zo als Govers zegt? Govers de buitenstaander? Narrig was Hannes uitgevallen: 'Dan steken we een paraplu op, blijven we met z'n allen droog.'

Govers loerde vanuit zijn ooghoek: 'Ik help het je wensen.'

Het hinderde hem hoe Govers over Jongkees praatte, en Hannes had gegromd: 'Nou vooruit, schiet eens op met je handel.'

11

Govers kneep een oog dicht: 'Prikt het, Hannes?'

Hij was op Govers praat niet langer ingegaan en teruggekeerd naar zijn eigen werk terwijl Govers zijn 'handel' op zijn kar laadde. Hannes, worstelend met een gevoel of hij iets van zich af moest schudden, had hem nageroepen: 'Hé Govers, luister eens, voortaan houd je je net als ieder ander aan de tijd: negen uur kun je je bestelling halen, en niet wanneer het jou uitkomt.'

Op de drempel had Govers met schorre stem geschreeuwd: 'Van mijn part kun je verrekken, Lanting, al ben je dan eerste knecht, je bent nog niet de baas.'

Maar wat Govers over Jongkees zei, bleef in hem wroeten: zijn het toespelingen of toch...

's Avonds had hij het er met Bets over. Minachtend snoof ze: 'Geloof dat alles toch niet. Nogal een lekkere jongen, die Govers. Nooit dat ik een vissie van die kerel koop, ik gruw van die vent.'

'Dat hoef jij ook niet,' lachte hij weer wat opgelucht. 'Jouw kerel neemt elk weekend een vers gerookt vissie uit de rokerij mee, gratis en voor niks.' Want zo had Jongkees het ingesteld: verplicht 's morgens en 's middags een frisse neus opsnuiven, en dat gratis kilootje makreel, daar zei niemand nee tegen.

Ander jongvolk komt binnen, twee zouters, twee rokers.

'Morrie, Hannes.'

'Gôje, jongens, liep de wekker achter?'

'Het is vanochtend gruwelijk koud buiten, Hannes.' Arie snuft als een jonge hond.

'Hier, warm je door, jongens en straks een warm bakkie troost.'

'Ik hoor het al, jij waakt over ons als een bezorgde moeder over haar kroost.' Da's Geert, die nooit om een woordje verlegen zit. Heb jij een spijker, hij heeft een gat. 'Kleden jullie je maar gauw om, het werk wacht.'

'Hier wacht het werk altijd, Hannes.'

'Waar niet, jongens... waar niet?'

'Dat wisten de fijnen al. Bid en werk.' Dat is Wessel die er een woordje tussendoor gooit. Wessel is een jongen uit een vroom gezin, maar naarmate hij ouder werd begon 'de vroomheid' hem de keel uit te hangen. Nu gooit Wessel er meer en meer met de pet naar.

Bam... de bronzen galm van het hervormde kerkje dringt door tot in de rokerij. Wat, al acht uur? Hij doet een greep naar zijn blauw emaillen drinkkruik en broodtrommeltje, en wenkt Dirk Koger. Die sloft als een aftands paard naderbij, zijn hemd hangt bij de hals open, een stukje roodbaai piept erboven uit: 'Zeg-ut-es, Hannes.'

Hij heeft het te doen met die oude ploeteraar die er zo vermoeid uitziet: 'Wordt het niet eens tijd dat je met werken ophoudt, Dirk?'

Dirk geeft toe: 'Ja, het werk valt me soms zwaar, maar d'r moet brood op de plank.'

'Je hebt toch een pensioentje?'

Dirk vist zijn zakdoek uit zijn broekzak, snuit zijn neus en zegt: 'Net wat je zegt, een pensioentje, daarvan sop je niet vet, snap-ie?'

Hij snapt het, al is het niet helemaal. Dirk was vroeger manusje-van-alles op een sleepboot, dan zou je toch menen? Maar ja, de pensioenen van vroeger of nu, da's wel een verschil. Toch kan hij het niet nalaten te zeggen: 'Je ziet er de leste tijd moe en afgetobd uit, Dirk. Geniet van je mager pensioentje nu het nog kan. Zet desnoods de tering naar de nering, en geef er gewoon de brui aan.'

Dirk stopt de zakdoek weer in zijn broekzak. Zijn handen trillen, zijn borst zwoegt van de rookwasem die in de rokerij hangt. Hij weet dat Hannes gelijk heeft, het werk valt hem steeds zwaarder. Toch hij wil zich tegenover die reus van een kerel niet laten kennen en zegt quasivrolijk: 'Als ik jou zo hoor, praat je me regelrecht m'n kissie in.'

'Mis, Dirk, ik gun je nog een heel lang leven. Daarom zeg ik je het juist.'

'O, dus het is meer bedoeld als een waarschuwing?'

'Als jij het zo wilt zien, graag Dirk.' Verdorie, wat is dat nu, schaamt Dirk zich over wat hij tegen hem zegt? Dan is het beter er niet op door te gaan. Hannes zegt gauw: 'Houd jij dat jongvolk even in de gaten, en hang dat laatste partijtje voor Govers in de achterste rookkast. Dan ga ik buiten even een frisse neus halen.' Hij schiet in zijn jas, sleept een kist naar buiten, gaat erop zitten.

Als een prins zit hij in het vroege ochtendzonnetje. Hij opent het broodtrommeltje, pakt er een snee uit, zet zijn tanden erin. Er gaat niets boven brood met stroopvet. Het smeert de knoken, zijn vader at het en zijn grootvader al, en beide zijn ver in de negentig geworden. Zal hij dat ook halen of staat hij eerder op het afvoerlijstje? Kom, kom, wat een sombere gedachten, en dat in het vroege ochtendlicht, dat als een ragfijn web zich hecht aan de huizen aan de overkant van het kanaal. Hij neemt een tweede boterham, zet met smaak zijn tanden erin. Het moet gezegd: Bets weet wat een man toekomt, en met stroopvet is ze niet zuinig, ze smeert het met kloddes op zijn brood. Luit, zijn oudste zoon, gruwt van stroopvet, geef hem maar kaas.

Luit is altijd blij en goedgehumeurd, mits-ie het niet aan de stok heeft met Bets. En koppie-koppie, meneer, het waait hem zogezegd aan. Daarom loopt-ie nu met hoge idealen in zijn kop rond. Scheepswerktuigkundige, jawel, liefst op de kustvaart.

Maar hij, Hannes, als vader, temperde Luits enthousiasme een beetje: 'Begin eerst maar 'ns as matroos.'

Luit kneep een oog dicht: 'Matroos. Dekzwabber. Waar zie je me voor aan?'

Zijn gezicht verstrakte: 'Voor Luit Lanting, mijn eigen zoon.' Luit met zijn hoge idealen. Maar pas op: wie hoog reikt, zal laag vallen. Nors antwoordde hij: 'Je hoeft niet zo laag neer te kijken op een matroos. Trouwens, vandaag de dag moet zo'n jong ook blokken als-ie een rangetje hoger wil.'

Luit floot door zijn tanden: 'Voor dekzwabber, niet te geloven.'

Ja, die zoon van hem... Maar hoe was je vroeger zelf? In jeugdige overmoed dacht je heel de wereld te regeren, tot je d'r achter kwam dat de wereld jou regeert. Het ware leven komt zo anders, maar breng dat zo'n joch maar 'ns aan zijn verstand. Scheepswerktuigkundige, jaja, maar de centjes, hè. En Mijntje is er ook nog, die wil net als Truida in de verpleging. Verwonderd had hij aan Bets gevraagd: 'Snap jij nou waar die meiden van ons...' Bets was hem in de rede gevallen: 'Dat zit aan de kant van mijn grootmoeder, die ging ook altijd uit bakeren.'
'Je grootmoeder?' herhaalde hij verbaasd: 'Dus jij denkt dat die twee...?'
'Van wie anders? Niet van mij.'
Inderdaad, niet van Bets. Bets, koel van gedachten, harde werkhanden, een leven lang waarin geen plaats was voor tedere gevoelens. Zelfs tegen hun jongste, hun Barendje is ze in haar praat soms zo kortaf dat het Hannes kwetst en hij haar zachtjes verwijt: 'Toom je wat in, Bets. Als ik niet beter wist...'
Bets schokte dan met haar schouders, mompelend: 'Je weet wel beter, Hannes Lanting. Barendje, ach lieve God...' Er sprongen dan tranen in haar ogen, waarop hij haar in zijn armen trok en suste: 'Het komt wel goed, meid.'
Ja, wat moet hij anders zeggen? Net als Bets heeft hij zijn zorgen om dat kind. Barendje is geestelijk gehandicapt. Hij zit gevangen in zijn parelmoeren schelp en droomt zijn eigen leventje. Een leventje waarin voor lelijke dingen geen plaats is. Zelf zei hij laatst: 'Daar legt Onze-Lieve-Heer een zonnetje over, dan is alles weer mooi.'
Verbaasd had Hannes zijn hand op Barendjes stugge haardos gelegd en verwonderd gevraagd: 'Hoe kom je daarbij?'
Barendje zweeg en staarde stilletjes voor zich uit. Barendje, die soms iets zegt waar jij met je nuchter verstand niet bij stilstaat. En voor hij het besefte, viel peinzend uit zijn mond: 'Als jij ze alle vier op een rijtje had, werd je vast dominee.'
Bets reageerde meteen daaroverheen: 'Jij kletst ook naar dat je verstand hebt. In onze familie zijn de mannen sjouwers of lossers.'

'Kan wezen,' ging hij op haar praat in. 'Maar een oudoom van mij was ouwerling...' Oom Kees wandelde zijn geest binnen, krom van de reuma en narrig van de pijn. Zijn moeder had altijd medelijden met die stakker en er was altijd wel een bakkie troost voor hem. Warme koffie met een jodenkoek. Oom Kees warmde zijn wanten op de fluitketel.

'Een oudoom? Da's voor het eerst dat je dat tegen me zegt.'

'Het kwam nooit ter sprake. Net zoals jouw grootmoeder, nu het Mijntje betreft.'

'Wat moet ik over haar vertellen, je hebt haar gekend.'

Of-ie haar heeft gekend. Heftig van natuur en lang geen makkelijke tante. Ze kende maar één manier van leven, de hare. Ergens is Bets net zo. Maar zeker ook trouw en eerlijk, dol op hem en de kinderen, en zo geheel vrouw.

Hannes' blik glijdt langs het pad. Hier en daar verzakken de straatklinkers in oneffenheden en kuilen. 'Eigen weg' staat er op het blauwe bordje, dus Jongkees mag er weleens wat aan doen. Maar het is net als overal: zolang het nog meegaat... Kijk het water in het kanaal eens glinsteren. Of er bladgoud over is uitgestrooid. Verderop aan het kanaal ligt de groene loods van Verschuren met in wit geschilderde letters: 'Onderhoud en stralen van schepen'. Een sterk trillend machinegeluid dringt tot hem door. Het lied van de arbeid, van werken, willen en doorzetten.

Hé, wie komt daar in de verte aansjokken achter zijn ratelend venterskarretje? Als-ie het niet dacht: Tinus Boontjes, met zijn hoed scheef op zijn oor. Tinus verdient zijn kostje met het ophalen van oud ijzer en vodden, wat Bets geregeld de opmerking ontlokt: 'Je snapt niet hoe dat soort lui met hun magere handeltje aan hun bikken komt.'

Tinus daarentegen zegt: 'Ik word rijk van wat een ander weggooit.' Tinus woont met zijn hondje achteraf in de Elleboogsteeg. Het is een sjofele scharrelaar en een wandelend nieuwsblad. De hele dag door zwerft-ie met zijn gammele karretje en zijn oren op scherp langs de straat, komt overal en weet het nieuws nog eerder dan dominee of pastoor. Het rate-lend karretje komt naderbij. Het hondje, vastgebonden met een eindje touw aan de handkruk, dribbelt er triomfantelijk naast.

Bom, het karretje staat, Tinus zet zich op de handkruk, schuift zijn vale hoedje wat achterover voor een praatje.

'Wat hoor ik, Hannes, gaat Jongkees over op elektrisch roken?'

Het is geen wereldschokkend nieuws wat Tinus daar zegt, maar toch voelt Hannes zich enigszins overdonderd. Maar ja, wat weet Tinus niet? Tinus is net een flauwe afdruk van Govers: even slim en gewiekst, alleen niet zo gemeen. Een hele wijk heeft-ie bij elkaar geflanst, de ene dag hier, de andere dag daar. Hij geeft twee cent bovenop de kiloprijs, waarmee hij andere scharrelaars tegen zich in het harnas jaagt. Tinus heeft daar lak an, snuift een beetje minachtend door zijn neus en zegt: ''t Benne grotere doerakken dan ik, en een elk vecht voor zijn eigen broodje. Daarbij is God voor ons allen, en een ieder voor zichzelf.'

Ja, wat moet je daarop zeggen. Tegen zo'n randfiguur die een ietsiepietsie langs het lijntje loopt. Toch mag iedereen hier in de buurt dat sjofele mannetje.

Tinus rolt handig een sigaretje tussen zijn bruin verkleurde vingertoppen, steekt de brand erin, gluurt naar Hannes en zegt: 'Nou, je zegt ook niet veel.'

Plots valt het verkeerd bij Hannes. Wat moet hij daar ook op zeggen! Dat hij in dat geopperde plan van Jongkees junior helemaal niks ziet en met de angst in zijn hart leeft, dat de oude baas door de aandrang van zijn zoon op den duur toch door de knieën gaat? Dat er ontslagen zullen vallen en wat dan? Hij morst. 'Het kan me niet schelen wat ze zeggen en als het aan mij lag...'

'Jááá,' teemt Tinus met een lange uithaal. 'As... maar as is ver-brande turf en dan nog eens wat, jij bent de directeur niet.'

Nee, vertel mij wat. Hannes wordt er waarachtig zenuwach-tig van. Wat wauwelt-ie nu weer?

'Rokerij Munsters is vorig jaar op elektrisch roken overgegaan, dan kan Jongkees toch niet achterblijven. Zeg nou zelf.' Jongkees en Munsters zijn concurrenten van elkaar. Gaat de een met vijf cent omhoog, dan volgt de ander weldra. Geen van beiden kan bij de ander de zon in het water zien schijnen, dat is al jaren zo.

Tinus zijn kwek staat niet stil. Met een brede armzwaai gooit hij zijn visie uit en komt tot de slotsom: 'Wie weet, wordt het in de toekomst fuseren, je hoort vandaag de dag niet anders.' Wat...? Als Hannes daaraan denkt, breekt het zweet hem uit. Jongkees en Munsters samen... Wie van de twee wordt dan directeur? Twee kapiteins op een schip, dat wordt zinken. Aarzelend vraagt hij: 'Zou je denken?'

Tinus haalt zijn schouders op, puft aan zijn sigaretje, toomt wat in en zegt ontwijkend: 'Nou ja, je moet het niet zo letterlijk nemen, ik zeg misschien.' Met een grijns: 'En mocht het zo zijn, dan hoef jij toch niet in je piepzak te zitten. Je eigen handeltje met ingelegd zuur legt jou geen windeieren, Hannes Lanting.' Spottend neuriet hij: 'Haring met wittebrood, eet je niet, dan ga je dood.' Dan lacht hij: 'Enfin, daar zal jij zo gauw geen last van hebben.'

Daar raakt Tinus met zijn opmerking een gevoelige snaar. Dat moet Hannes toch even verwerken, en tegenspreken kan-ie die scharrelaar niet. Het is waar, achterom, in zijn schuur drijft hij zijn eigen handeltje: sardien en panharing in het zuur, en 's winters ook verkoop van bosjes gehakte kachelhoutjes van aangespoeld hout dat hij langs het strand jut. Een eerlijk mens meldt dat bij de strandvonder, maar op dat punt is Hannes zo eerlijk niet. Hij laadt met spoed de gevonden buit op een gehuurde handkar en rijdt zo vlug mogelijk naar huis, waar hij het hout tegen de muur te drogen zet. In de vrije avonduren hakt hij er kachelhoutjes van, waar Mijntje met soepele vingers bosjes van samenbindt en wijsgerig opmerkt: 'Als in de rokerij het zonnetje ondergaat, gaan hier de sterretjes schijnen.' En hij voegt er dan lachend aan toe: 'En als hier de sterretjes verdwijnen, gaat daar het zonnetje weer op.'

Dáár. De rokerij is er nog en hoelang zal Jongkees de druk van zijn zoon nog kunnen weerstaan? Is-ie niet al een klein beetje gezwicht? Twee spiksplinternieuwe rookkasten zijn er vorige week geplaatst, op proef zogezegd.

Maar het leek of Jongkees zich een beetje stilletjes terugtrok toen Jasper weer eens triomferend stond te schetteren: 'Dit is de vooruitgang en wie daarin niet in meegaat gaat 'kapoerewiet'.' En Jongkees, met een blik van stil verwijt op zijn zoon, had stroef opgemerkt: 'Je bent groot gekomen door de rokerij, jongen, dat schijn je in je enthousiasme weleens te vergeten.'

Jasper haalde onverschillig zijn schouders op, mompelde: 'Misschien wel, misschien niet.'

Maar bij Hannes woelt nog steeds de onrust. Nu komt Tinus nog met deze praat. Een pijnlijk glimlachje glijdt om zijn mond als hij zegt: 'Eigen handel, jawel... Je denkt toch niet dat ik er rijk van word?'

'Maar arm ook niet,' is het antwoord, 'en ik zeg maar zo: elke cent is een.'

'Juist, maar centen maken nog geen daalders.'

Tinus komt overeind, zet zijn hoedje recht, mikt zijn peuk in de gracht, pakt de handkruk en zegt: 'As er maar genoeg centen zijn, dan worden het daalders.'

'Daar is voorlopig nog geen kijk op, Tinus.' Er trilt iets in zijn stem. Wat zou het mooi zijn als zijn kleine handeltje tot een eigen zaak zou uitgroeien. Ach wat, dat zijn zotte gedachten waar hij niet aan toe moet geven.

'Kom,' zegt hij en komt ook overeind. 'Het werk wacht. We gaan weer beginnen. Gôje Tinus, en zie maar een goed handeltje op de kop te tikken, waar je gauw rijk van wordt.'

'Rijk of op dijk,' glimt Tinus, 'en het zal het leste wel wezen. Nou, de zegen Hannes, en de groete-an de rijke heren.'

Hannes verdwijnt in de rokerij, en Tinus sjokt voort achter zijn karretje en nog nadenkend over Hannes Lanting. Het is bekend: Jongkees heeft zijn meesterknecht hoog, maar of junior daar ook zo over denkt, valt te bezien. Jasper Jongkees, de opvolger en erfgenaam van zijn vader, zo jong als-ie is, denkt nu al in het groot. Kapitaal staat voorop, en kapitalisten vinden altijd weer wat uit om het volk tam te houden; het vlees is voor de heren en de botten voor Jan Schlemiel. Nee, dan hij, Tinus Bootjes: eigen meester, eigen knecht. Wil-ie werken, werkt-ie, heeft-ie een daggie geen zin, blijft-ie op zijn luie achterste zitten, want alle dagen hebben weer dagen, en al de dagen zijn van heel de wereld, en de wereld met al haar schoons is van hem, als je het met je ogen maar wilt zien.

HOOFDSTUK 2

Luit Lanting is op weg naar zijn werk. Hij is lasser op de scheepswerf van Ommen, een baantje dat hem ellenlang de keel uithangt. Het wordt goed betaald, dat wel, en met zijn overuren meegerekend komt hij met meer centjes in zijn loonzakje thuis dan vader Hannes.

Hij is lasser uit nood, maar het ideaal van scheepwerktuigkundige zweeft nog altijd door zijn kop. Een dure studie en wie kan dat betalen? Moeder Bets is zijn chagrijnigheid meer dan beu: 'Hou er toch over op, je hebt goedbetaald werk en dichtbij huis, wees tevreden.'

Maar dat is hij niet. De teleurstelling blijft knagen. 'Ieder mens heeft naast zijn leven zijn dromen.'

En moeder Bets weer: 'Juist, daar zeg je het ware: dromen. Wordt 't geen tijd dat je wakker wordt?'

Wakker is hij al lang en ook uitgeslapen. Hij wil meer dan meelopen in de tredmolen van de doorsnee arbeider, hoger op uit zijn werkkloffie, wat worden in de maatschappij, een das voor en een witte boord om de hals. Of is dat te hoog gegrepen voor een arbeidersjongen uit een volksbuurtje?

Hij slaat de hoek om, schrikt op uit zijn mijmerij. Rits, rats, Guurtje Stam veegt haar straatje schoon. De bezem gaat van links naar rechts, bladeren vallen op zijn schoen. Hij stampt ze eraf en zegt: 'Morgen, Guurtje, net-an zeven uur, en je zal me al van de sokken vegen.'

'Da's de bedoeling niet, Luit Lanting.' Glimlachend kijkt ze hem aan. Ze mag haar buurjongen wel. De oudste van Hannes en Bets is een spontane knul en een harde werker. En ook een begerenswaardige vrijgezel, al kijkt hij naar de meiden niet om, maar hij moest het niet zo hoog in zijn kop hebben. Scheepwerktuigkundige, jawel. Maar da's voor een jongen hier uit de buurt niet weggelegd.

'Op weg naar de scheepswerf?'

'Waar anders heen, Guurtje. De arbeid wacht.'

'Da's overal, Luit Lanting.' Ze trekt de wollen omslagdoek wat vaster om de schouders en rilt: ''t Is kil vandaag.'

'Ach, wat heet.' Hij loopt zelf met de kraag omhoog. Na een kwakkelwintertje zet de lente vroeg in, met in haar kielzog een portie voorjaarskou.

Guurtje legt beide handen op de bezemsteel en lacht wat verlegen naar de jongkerel die voor haar staat. Ze zegt: 'We kunnen het kacheltje nog niet missen, wat jij?'

'Kacheltje', het woord blijft hangen. Luit krijgt het beeld van zijn vader op zijn netvlies die met bezorgde stem zei: 'We raken door de kachelhoutjes heen, straks moet ik nee verkopen.'

'Als dat het ergste is,' reageerde zijn moeder onaangedaan. 'Drink je thee op.'

Maar vader zat het hoog. 'Dat kun je voor je klantjes niet maken.'

'Op is op, en je kunt geen ijzer met handen breken.'

Vader knikte en zweeg. Vader leeft sterker naar binnen dan naar buiten, met moeder is het precies andersom. Toch hangt dat tweetal aan elkaar als een klit, al is het ieder op zijn eigen manier. En dat komt door Barendje, het nakomertje en het zorgenkind, geestelijk gehandicapt. Dat vreet aan zijn ouders. Zijn vader zegt daarvan: 'Het is geen postpakketje dat je terug kunt sturen. Het lot ligt, we zullen het moeten dragen.'

'Voor een man ligt dat makkelijker dan voor een vrouw,' vindt z'n moeder dan.

Plots valt Luit in antwoord op Guurtjes opmerking uit de mond: 'Het kachelhout raakt op, en langs het strand valt niks meer te jutten.'

'O, als het dat is, ik heb nog wel hout,' gaat ze er hartelijk op in. 'Als je zin hebt, kun je dat gammele schuurtje in de tuin afbreken.'

'En wat gaat ons dat kosten? Voor niks gaat de zon op.'

'Kosten? Jij breekt het af en ik geef je dat hout voor niks, zo betalen we elkaar met een dichte portemonnee.'

Hij twijfelt. Het is mooi aangeboden, maar toch. Hij zegt: 'Denk je niet een beetje hardop?'

Ze ziet zijn twijfel, schiet in de lach. Ze kent haar buurtjes: geen klagers, geen vragers, trotse koppen, stuk voor stuk, en Luit het ergst van allemaal. Ze legt vertrouwelijk haar hand op zijn arm en zegt: 'Doe jij nu maar wat Guurtje zegt. Oud hout, daarop brandt een vuurtje warm.'

Even zegt hij niets. Scherp glijdt zijn blik over haar heen. Dan zegt hij: 'Met recht, een goede buur is beter dan een verre vriend.'

Ze voelt hoe ze onder zijn scherpe blik bloost. Luit Lanting is een stoere bink en ze mag hem wel.

En zijn gedachten omzweven haar. Guurtje Stam, een gezonde rondborstige weduwe, en dat al weer vier jaar. Na Piets overlijden erfde zij café 'De witte zwaan' maar het is nu meer 'de stervende zwaan' geworden. Om een of andere reden raakte na Piets overlijden de loop uit het café. En misschien is Guurtje zelf de reden wel. Guurtje, met haar blank-fris gezicht, haar warme gulle lach. Guurtje, de verlokking zelf. De trouwlustige kerels kwamen op haar af als vliegen op een suikerbeestje. Maar Guurtje moest niet zo nodig. Met een spotlach en een scherp woord hoonde ze al die opdringerige aanbidders bij haar vandaan. Die vervolgens, tot in hun ziel beledigd, niet meer in 'De witte zwaan' terugkwamen, en de loop in het café ging meer en meer achteruit. Tot voldoening van bijvoorbeeld Pol Vlaar, die de eerste aanzet gaf tot achterklap en roddel, overigens zonder dat hij daar in zijn 'vroomheid' naar buiten toe iets van liet merken. Alleen Luits ouders trokken zich van al die opwinding rond Guurtje niets aan, zijn vader voorop. Vader die, voor hij het schuurtje induikt, een rondje door de tuin loopt voor een frisse neus, voor hij met zuur inleggen begint.

De intense geur van het zuur dat aan vaders overall hangt en mee naar huis neemt en op moeders bevel op het straatje moet uittrekken voor hij die stank mee naar binnen neemt. En hierin is ze onverbiddelijk. Moeder, een beste vrouw, schoon in huis en tuk op de centen, maar ze moest in alles een beetje meegaander zijn, niet direct stoom afblazen als haar iets niet zint. Is het meteen van hup-je-kop-eraf als je niet doet wat ik zeg, zonder daarbij op te merken dat ze haar man daar soms diep mee bezeerd. Qua karakter lijkt Luit meer op zijn moeder, en is daarom meer tegen haar gevit bestand. Hij trekt zich er niets van aan, gaat er luchthartig tegenin, pakt haar bij de schouders en dwingt haar tot een rondedansje. En 's avonds hoort hij haar lachend tegen vader zeggen: ''t Is gek, maar op dat jong kan ik gewoon niet kwaad worden, laat staan blijven.'

En vader met nadruk: 'Jij niet kwaad op Luit? Ken jij je zoon wel?'

Moeder kijkt naar vader, als komt-ie van een andere planeet, en valt scherp uit: 'Ach vent, je bent gek, zal ik mijn eigen zoon niet kennen?'

Vader schudt zijn hoofd: 'Nee, en wacht je ervoor als je hem wél leert kennen.'

In gedachten verzonken blijft Luit staan. Wat vader tegen moeder zei komt hem zo onwaarschijnlijk voor: ze kent hem toch, en hij haar? Of kent de mens zichzelf niet? Schat de moeder haar zoon en de zoon zijn moeder verkeerd in? Moeder met haar zorg voor alle dag, vooral voor Barendje, maar ook voor hem, zijn eten, zijn drinken, zijn kleren. Maar als het woord 'scheepwerktuigkundige' valt, vertrekt haar gezicht grimmig, en gaat hij erop door, dan barst ze woedend los: 'Je bent driedubbel doorgeslagen krankjorum dat je aan dat idee vasthoudt. Je bent lasser, je verdient goed bij Van Ommen. Maar nee, da's niet genoeg, meneer wil meer, meneer wil hogerop, met een witte boord om zijn nek zodat-ie op ons kan neerkijken.'

De felheid waarmee ze hem aanvalt doet hem pijn. O, hij weet zelf ook wel dat hij een jongen uit het gewone volk is, uit een arbeidersnest. In zijn jonge jaren hielp hij na schooltijd in de rokerij en verdiende er een paar centen mee. De helft ging naar moeder, de rest mocht hij houden om te sparen. Jawel, sparen. Maar dat deed hij in een plat sigarenkist-je, want in zijn gewone spaarpot kwam niet veel terecht. Als het eens krap bij kas was, was het moeder die met een mes in de gleuf van het spaarvarken hanneste. Met medeweten van zijn vader verborg hij dat kistje stiekem onder een losse steen in het schuurtje. Koperen centen, kwartjes, een enkele keer een gulden. In de loop der jaren groeide dat aan tot een bescheiden kapitaaltje. Hij kocht er een boek over scheeps-machines van, waar hij 's avonds uren in zat te lezen, en moe-der verbaasd vroeg: 'Hoe kom je daaraan?'

Hij had een kleur tot onder zijn haarwortels gekregen, maar vader knipoogde naar hem en zei met een uitgestreken gezicht: 'Gekregen van Jasper Jongkees.'

'Gôh,' zei moeder, die ondanks den brode het niet zo op de firma Jongkees heeft. 'Je moet maar denken: nu vergaat de wereld.'

Vader schiet in de lach: 'Het is niet te wensen, dan is je man werkloos.'

Moeder, zeer overtuigend: 'Dat zal zo'n vaart niet lopen, Jongkees kan niet buiten jou.'

Vader bedachtzaam: 'Die ouwe niet nee, maar met Jasper weet je het nooit, als hij het voor het zeggen krijgt, moet je het maar afwachten.'

Luit voelt verwarring als vader zo praat. Zou Jasper werke-lijk... Vroeger waren ze schoolvrienden.

Nu hij volwassen is weet hij beter. Vrienden, dat is een beeld uit vroeger jaren. Jasper heeft gestudeerd en heeft nu eigen vrienden, en hij – Luit – is en blijft het zoontje van de mees-terknecht dat het niet verder heeft geschopt dan een diploma vier jaar Ambachtsschool, en een tweejarige cursus elektro-technisch lassen. Met nog altijd de stille hunkering in zijn hart om scheepwerktuigkundige te worden, al zegt z'n moe-der steeds: 'Vergeet het, da's voor een jongen als jij niet weg-gelegd.' Vader, ja, die begrijpt het, al zegt hij toch ook: 'Zo te blijven denken, is boerenbedrog tegen jezelf, jongen. Je bent lasser, heb er vrede mee.'

Ja, hij is lasser en hij verdient goed. Maar hij hunkert er nog altijd naar hogerop te komen en het zou laf zijn dit zichzelf niet te durven bekennen. Maar wat schiet-ie met al dat geprakkiseer op. Niks, hij wordt er alleen maar beroerder door.

'Nou, je zegt ook niet veel.' Het is opnieuw Guurtje Stam die de rode draad van zijn gedachtegang doorbreekt. Haar warm-glanzende ogen zijn heel dichtbij. Verdorie, waar ging het ook alweer over? Hij strijkt in verwarring met zijn hand door zijn volle haardos, als-ie het maar wist, lacht wat verlegen en vraagt: 'Waar ging het ook alweer over?'
Ze schiet in de lach: 'Weet je dat niet meer?' O, ze heeft allang door dat hij met zijn gedachten niet bij het gesprek is. Luit Lanting, die elke ochtend zonder op of om te zien voorbij haar raam loopt, op weg naar de scheepswerf van Van Ommen. Luit Lanting, die naar geen meid omkijkt, maar de meiden wel naar hem. Zachtjes zegt ze: 'We hadden het over het afbreken van het schuurtje.'
'Ja, nu je het zegt.' Vast kijkt hij haar in de ogen: 'Maar ik betaal je ervoor, Guurtje Stam.'
'Voor dat zootje afbraakhout, geen sprake van.'
'Toch doe ik het.'
'Komt niks van in.' Trotse koppen toch, die Lantings.
'Zoek dan maar een ander die het schuurtje voor je afbreekt.'
Haar blik hecht zich aan zijn lenige gestalte. Heeft ze hem ooit weleens met een meid zien praten? Ze zegt: 'Ik dacht dat we buren waren?'
'Dat staat erbuiten,' zegt hij nors.
'Weet je wat het met jou is? Je bent te trots om dankjewel te zeggen.'
Een zweem van een glimlach glijdt over zijn gezicht. Ze heeft gelijk, het dankjewel komt moeilijk over zijn lippen. Zijn motto is: Neem je leven in eigen hand, zorg dat je nooit dankjewel hoeft te zeggen. Je zou er in later tijden spijt van kunnen krijgen.

Maar ze mag er zijn, Guurtje Stam. Ze is bijna even lang als hij, en niet onknap ook, en het is lief van haar dat ze hem gratis hout aanbiedt. Plots schiet een wonderlijke gedachte door zijn hoofd, even verwonderlijk als verbaasd. Zijn vader koestert al jaren in zijn hart een stille wens: een eigen winkel in zuurwaar. En Guurtje Stam is de eigenaresse van café 'De witte zwaan' waar de loop totaal uit is. Als zijn vader dat van haar zou kunnen huren... De kans is weliswaar klein, maar toch, hij zal een balletje opgooien, je weet het maar nooit.

'Guurtje, ik wil je wat vragen.'

'En dat is?'

'Hoe staan de zaken?' Ja, hij moet toch ergens beginnen?

'De zaken? Jij stelt belang in de zaken?' En met een verlegen lachje: 'Je moet wel een erge stoethaspel zijn als je dat niet ziet.'

Of-ie het ziet. Hij is niet blind en heeft ook oren, en hij hoort heel wat over de warmbloedige kasteleinse van het café 'De witte zwaan' die letterlijk aan de grond zit. Zou ze... nou, vooruit, hij waagt het erop.

'Als je de zaak eens aan ons verhuurde?'

'Verhuren?' Perplex kijkt ze hem aan: 'Aan zoiets heb ik nooit gedacht.'

Hij glimlacht: 'Ik wel. En wees eerlijk, Guurtje, de loop is eruit. Als je de zaak aan ons verhuurt, brengt het nog wat geld in het laatje.'

'En ga jij dan achter de tap?' En met een verlegen lachje: 'Worden we compagnons van elkaar.'

'Ik denk het niet, ik heb heel andere plannen. Ik wil er een winkeltje van zuur in vestigen. Die verkoop bij ons thuis achterom in het schuurtje is niks. Vooraan zit je aan de straat en een breed raam is er al. Daar slaan we een paar planken waar we het nodige op uitstallen, dat verkoopt ook beter.' Hij ontvouwt zijn plan en zij luistert en als hij zwijgt, zegt zij: 'Dan wordt de tap een toonbank, en wie moet daarachter? Je moeder?'

Bets Lanting en Guurtje: goeiedag en goeienavond weegt

geen pond, maar dat is het dan ook.

'Mijn moeder? Ik denk eerder Mijntje.'

Aandachtig kijkt ze hem aan, zegt dan: 'Zo te horen heb je je plan al aardig uitgedokterd.'

'Nou, ja,' antwoordt hij, zoekend naar de juiste woorden: 'Denk er eens over na, en lijkt het je wat dan praten we verder. Trouwens, ik moet er ook nog met mijn vader over praten.'

Plotseling schiet ze luidop in de lach: 'Dus jij holt je benen vooruit.'

'Mag je wel stellen, ja.' Opeens voelt hij zich niet meer zo zeker van zichzelf.

Ze bemerkt zijn verlegenheid en glimlacht. Dat is ze van die stoere Luit Lanting niet gewend. Wat zegt hij nu?

'Feitelijk vraag ik dit alles voor mijn vader.' Dan nadenkend: 'Er doen hier in de buurt vreemde praatjes de ronde die tot nadenken dwingen.'

Ze knikt: 'Ik heb zoiets gehoord, ja. Jasper Jongkees wil samen met rokerij Munsters.'

Er trekken rimpels in zijn voorhoofd, Jasper en hij, vroeger vriendjes, en nu, hij nors: 'Het is nog niet zover.'

'Wat niet is kan komen,' en met een glimlach: 'Enfin, dan is Guurtje Stam er nog. Praat er maar over met je vader, dan hoor ik het wel.'

In hem is een blijdschap die hij niet onder woorden kan brengen, en hij zegt: 'Je bent een goeierd.'

'Anders niks?' lacht ze. 'Da's maar een mager bedankje, Luit Lanting.'

'Wat bedoel je?'

'Dit.' Vlug drukt ze een kus op zijn wang en kijkt hem lachend in de ogen. Guurtje Stam die hem kust? Zit daar iets achter? Ernstig glijdt zijn blik over haar heen. Menig kerel zou hier jaloers op zijn. En hij? Hem is het alleen om de zaak begonnen, op een eerlijke voorwaarde, dat wel. Zachtjes zegt hij: 'Daar moet je voorzichtig mee zijn.'

'Die ene kus? Kom nou, van jou heb ik niks te vrezen, Luit Lanting.'

Een afwerende beweging: 'Dat weet je maar nooit, kerels zijn en blijven kerels.' O, hij heeft het allang door, hij laat haar niet geheel onverschillig, maar andersom? Guurtje Stam is een vrouw, net als andere meiden in de buurt die naar hem lonken, maar hij voelt niets voor een vrouw. Hij wil hogerop, op wat voor manier dan ook, en in die plannen past geen liefje. En Guurtje, een weduwe en door de wol geverfd?

Daar klinkt het tweede fluitsignaal van de scheepswerf. Dat wijst het volk erop: nog drie minuten en dan ertegenaan, dan begint weer het werk van alledag: lassen, schroeven, uitbuilen.

'Kom,' zegt hij met de echo van de fluit in zijn oren. 'Het wordt tijd, de werf wacht.'

'Ja,' lacht ze: 'En Van Ommen zijn centen zijn niet van blik.'

'Da's overal. Nou, dag buuf, ik hoor het nog wel.'

'Daar kun je van op aan, Luit Lanting.'

Ze begint weer te vegen, staat dan een ogenblik stil en kijkt de lange gestalte na die zich met forse stappen voortspoedt. Luit Lanting die het café van haar wil huren. Stel je voor: 'De witte zwaan' een winkel in zuur. Ze schudt haar hoofd, begrijpt zichzelf niet dat ze zo vlot op zijn vraag is ingegaan. Wat betekent dit alles voor Luit Lanting, en wat betekent zij voor hem? Niet meer dan de buurvrouw die bereid is het café aan hem te verhuren. Voelt ze dan zoveel voor die stoere lasser dat ze zo gretig op zijn vraag inging? Hierin begrijpt ze zichzelf niet.

Zij is een weduwe van bijna veertig en Luit Lanting pakweg zes-, zevenentwintig? Gaat ze met zichzelf aan de haal? Nog steeds kijkt ze hem na. Hij kijkt niet één keer om. Wat verwacht ze hier ook van? Wat voor rare gedachten spoken door haar kop? Nijdig roetst de bezem weer over het straatje, maar in haar bruist de teleurstelling, die bijna als een vernedering aanvoelt.

Riekelt Govers tikt Hannes op zijn schouder. 'Lanting, de baas vraagt of je effe op het kantoor komt.'

'De baas?' herhaalt hij, en zet de bak aangespietste makreel neer, een partijtje voor rokerij Munsters. Jawel, Munsters. Sinds de wisseling van de wacht – pakweg een klein jaar terug – dat Jongkees senior het veld ruimde voor Jongkees junior, waait de wind uit een heel andere hoek. Een hoek die Hannes niet zint. Vanaf het moment dat Jasper de hamer overnam ging de 'beuk' erin, en hoe, meneertje! Heel de rokerij werd verbouwd naar de nieuwste eisen. Elektrische rookkasten; geen gehannes meer met eikenmot. Weg de houten baktafels en stoelen en staal ervoor in de plaats. Hygiëne voorop. Het roer ging helemaal om, en wie het niet zinde, kon op het kantoor zijn ontslagbrief halen. Een paar oude visrokers gingen; onder die slavendrijver wilde ze niet werken. Maar het meeste volk paste zich aan, ook hij, Hannes. Maar toen de eerste partij te roken makreel van Munsters binnenkwam, en vóór het eigen werk ging, fronsten ook zij de wenkbrauwen. Dat was onder de 'ouwe' baas nog nooit gebeurd. Maar Jasper ging er stoïcijns op in. Hier viel niks te vragen, van nu af aan rookten ze ook de vis voor Munsters, en wie dat niet zinde, kon alsnog gaan. Ze vroegen niets meer, zeiden nog minder, gingen zwijgend aan het werk, ook Hannes – wat moest-ie anders?

Opkijkend naar Riekelt vraagt hij nors: 'Wat had-ie?'

Riekelt glimt: 'Dat weet ik vanzelf niet.'

Nee, Riekelt weet nooit wat, maar laat hem schuiven. Riekelt is een echte Govers, die het wonderwel met Jasper kan vinden. Twee handen op een buik, mag je wel stellen. Hannes loopt de trap op naar het kantoor. Ook daar is alles staal en glas, zodat Jasper uitzicht heeft op de werkvloer en zo het personeel in de gaten kan houden. Jasper is een man van strenge werkregels, en ziet niets door de vingers. Nee, dan was zijn vader anders. Die vond dat zijn arbeiders bestaansrecht hadden, gunde hen een halfuurtje ontspanning, en gaf hen elk weekend een gratis makreeltje mee naar huis. Dat voorrecht had Jasper meteen geschrapt, en het halfuurtje werd teruggedraaid naar tien minuten. Dat had Dirk de snauw ontlokt: 'Hij gunt je wel je kuchie, maar niet de tijd dat je het opvreet.' En Dirk hield het voor gezien en vertrok. Met lede ogen had Hannes Dirk nagekeken. Als hij kon, zou-ie ook. Want elke ochtend opnieuw heeft hij er de 'smoor' in.

Als hij een enkele keer met Bets erover begint, zegt zij: 'Haal je geen gekke dingen in je hoofd, Hannes Lanting. Gooi geen oude schoenen weg voor je nieuwe hebt.'

Nee, vertel hem wat, zo piep is-ie ook niet meer. En toen Jasper de dag daarop tegen het volk dat hem trouw was gebleven 'kwetterde' over loonsverhoging was in één klap al het gemor van de baan en was er geen beter baas dan Jasper Jongkees, en ook hij – Hannes – deelde in de algehele mening, wilde hen tonen hierin geen spelbreker te zijn, maar van harte ging het niet, met het gevolg dat-ie elke dag met de pé in zijn lijf naar de rokerij stapt, want het werk dat-ie bij de 'ouwe' baas deed met plezier, doet-ie bij Jasper met de smoor in zijn lijf.

'Ga zitten,' noodt Jasper en wijst hem een stoel. 'Sigaretje, Lanting?' Hij houdt hem zijn zilveren sigarettenkoker voor.

'Nee, dank u, meneer.'

'Sinds wanneer is het meneer, Hannes?' Even weer de vertrouwelijke toon.

'Sinds u hier de scepter zwaait.'

'Vroeger was het altijd Jasper, weet je nog?'

'Toen was u nog kind, meneer, en het schoolvriendje van Luit.'

Ja, dat is lang geleden, dat Luit Lanting en hij, Jasper Jongkees, schoolvriendjes waren. Hij kwam graag bij de Lantings thuis, waar moeder Lanting trakteerde op warme chocolademelk en een jodenkoek. En er was voor hem niets heerlijkers dan thuis zijn bij de familie Lanting, de meester-knecht op de rokerij van zijn vader. Als hij nu Luit nog weleens tegen komt, gaan ze vreemd koel langs elkaar. Alles ligt verzonken in het verleden, ze passeren elkaar als vreemden. Plots staat Truike op zijn netvlies, de oudste dochter van Lanting. Een lief blond kind met blauw-blinkende kijkers en kuiltjes in haar wangen, vooral als ze lachte. En ze lachte veel, die kleine Truike, zodat haar zonnig beeld hem niet losliet en hij op een dag in een opwelling van begeerte haar tegen zich aantrok en kuste. Verschrikt en met een kleur als een pioenroos had ze hem verschrikt weggeduwd: 'Ben je zestig! Dat mag je niet doen.'

'Nee,' had hij gelachen, 'ik ben veertien.' Een wonderlijke opwinding doortrilde hem toen, zijn handen beefden, plots interesseerde hem niets en niemand meer, alleen zij. Woest trok hij haar naar zich toe, kuste haar opnieuw. Ze wrong om los te komen, maar hij liet haar niet los. Schuchter kuste ze hem terug en hij fluisterde in haar oor: 'Ik vind je zo lief, wil je met me trouwen?' Voor het eerst had hij iets van geluk gevoeld, zo teer, zo broos. Truike Lanting, het zusje van zijn schoolvriendje.

'Ah, jôh, dat kan ommers niet,' klonk het bedrukt.

Hij voelde zich bezeerd, stoof woedend op: 'Waarom niet?'

'Omdat jij Jasper Jongkees bent en ik Truike Lanting.'

In die paar woorden was alles gezegd, lag het verschil tussen arm en rijk, en hij begreep, Truike was zoveel wijzer dan hij. Doch diep beledigd wendde hij zich van haar af, nadien is hij nooit meer bij de Lantings thuis geweest, maar vergeten is hij haar nooit.

Opeens vraagt hij: 'Hoe is het met Truike?'

'Truike?' herhaalt Hannes verwonderd. Hij kijkt Jasper aan. Hoe komt dat jong opeens bij hun Truike?

'Hoe bedoel je?'

Een zacht lachje: 'Nou, niks, een herinnering aan vroeger.' Voelt hij iets van verkoeling die over Lanting komt? Vlug voegt hij eraan toe: 'Ik kan me herinneren dat het een aardig kind met blonde krullen was.'

Ja, ja. Maar dat aardige kind is nu een jonge vrouw met een wit kapje op de blonde krullen: hoofdzuster op de afdeling intern. Ze komt één keer in de maand met een vrij weekend thuis, want ze werkt in het Sint-Jansziekenhuis in de stad. Hannes zegt: 'Maar kleine kinderen worden groot. Het is nu geen Truike meer, maar Truida.'

Ach zo, Truida. Zou hij haar nog herkennen als hij haar tegen-kwam?

'En Mijntje?' Mijntje, de jongste dochter in huize Lanting, een wervelwind, en bepaald niet op haar bekkie gevallen.

'Net als haar zuster ook in de verpleging.'

Zo, zo, dus de gezusters Lanting doen sociaal-menslievend werk. Aan salaris loopt dat niet over, je moet er maar zin in hebben. Maar petje af voor die twee meiden.

Hij – Jasper – stort zich ook met hart en ziel op zijn werk, maar dat werk moet wel geld opbrengen. Liefst zoveel moge-lijk, dat-ie in een paar jaar binnen is, al is daar door de ver-bouwing vooreerst geen kijk op. Maar het bedrijf rendeert goed, de vooruitzichten zijn uitstekend, en als hij en Munsters het eens kunnen worden, zit het helemaal snor.

En dan is er nog een belangrijk punt: die Munsters heeft een dochter, enig kind en erfgenaam. Jeanne is een schuchter, wat verlegen kind, niet mooi, niet lelijk, een tussendoortje, en als ze trouwt – en waarom zou ze dat niet – neemt ze een goed stuk geld mee. Dus wat dat betreft, mocht het wat wor-den tussen Jongkees en Munsters, dan zal hij – Jasper – alle zeilen bijzetten wat Jeanne betreft.

'Waarom moest ik komen, meneer?'

Lanting roept hem terug naar de dingen van de dag.

'We moeten eens praten. Bevalt het je hier nog steeds?'

Die vraag overvalt Hannes en bezorgt hem onrust in zijn bin-nenste. Waar koerst Jasper op af? Jasper, zo'n groot verschil met zijn vader. Alle dagen mist hij nog de oude baas. Alles ging veel gemoedelijker en het werk kwam ook op tijd klaar. Maar Jasper komt steeds onverwachts binnenstuiven en vraagt dan op hoge toon waarom het 'verdraaid nog aan toe' vandaag zo lang duurt, want tijd kost geld. Hij als meester-knecht voelt de steek onder water, houdt zich bij zo'n opmer-king in en zegt beheerst: 'U zult bijtijds moeten ingrijpen, meneer.'

'Ingrijpen, hoezo?'

'Als u de partij sardien en makreel van Munsters voor laat gaan, komt het werk hier op het tweede plan.'

Achter Jaspers rug tikt Piet Daalder veelbetekenend tegen zijn voorhoofd, terwijl Jasper met een diepe frons in zijn voorhoofd antwoordt: 'Er zijn toch rokers genoeg?'

Hannes schudt zijn hoofd: 'Twee liggen thuis met griep.'

'Dan haal je toch een paar rokers bij Munsters vandaan?'

'Munsters kampt ook met ziek en zeer.'

Jasper trekt een bedenkelijk gezicht: 'Da's minder mooi, Lanting.'

Jasper is een geslepen vogel, met ogen van achteren en voor, en één die je altijd op je vingers kijkt. Maar als het erop aankomt mag Hannes hem toch liever dan die overvriendelijke, eeuwig grijnslachende, zich in de handen wrijvende Munsters.

Jasper komt tot een besluit, beslist kort en krachtig: 'Overwerken', en verdwijnt weer in het kantoor.

Overwerken, dat zit de rokers niet lekker. Sinds Jasper 'konkelefoest' met Munsters doen ze niet anders. Ze klampen hem daarom aan: 'Zeg jij d'r-es wat van Hannes. Al veertien dagen komen we de overall niet uit.'

Hij heeft de moed niet ertegen in te gaan, al voelt hij ook de ergernis van dit besluit. Jasper kon zich vroeger al als vriendje van Luit, beminnelijk losjes voordoen. Maar Hannes had ondanks al die beminnelijkheid in dat jong een kilheid gevoeld dat hem afstootte en soms wantrouwig maakte. En scherper dan zijn bedoeling was, had hij de rokers teruggegeven: 'Waarom met dwars hout gooien? Jullie worden ervoor betaald.'

De rokers keerden zich morrend af: 'We horen het al, aan jou hebben we ook niks. Nee, dan Riekelt.'

Juist, Riekelt had op een achterbakse manier het vertrouwen van Jasper weten te winnen. Riekelt tegen wie Jasper had gezegd: 'Je bent er een met merg in je knoken. Laat zien wat je waard bent, wie weet ben je straks wel meesterknecht.'

'En Hannes Lanting dan?' had Riekelt gevraagd, en Jaspers

antwoord: 'Da's een van de oudjes. Wat jou betreft, kunnen we vooruit, dus.'
Vanaf die dag sloofde Riekelt zich uit, zo erg zelfs dat het in de gaten liep. Tijdens het kwartiertje schaft kon je de opmerking horen: 'Die probeert zeker een wit voetje bij de baas te halen.'

Jasper buigt zich nu naar Hannes en vraagt: 'Moet je daar zo lang over nadenken?'
Nadenken... Als-ie de moed had zou hij zeggen: 'Alle dagen ga ik met de smoor in mijn lijf naar het werk. Want sinds jij het roer hebt overgenomen en een nieuw werkschema hebt ingevoerd, is het hier geen werken meer maar buffelen. En tot overmaat van ramp komt alle dagen die Munsters over de vloer. Waar ben je feitelijk mee bezig, man?' Die Jasper is in zijn doen en laten zo anders dan zijn vader. Jasper roept de leegte in je op.
Maar diens scherpe blik ziend, zegt Hannes: 'Dat nieuw ingevoerde werkschema is voor mij nog altijd wennen, vooral als ik zie hoe het er af en toe op de werkvloer aan toegaat.' Hij zwijgt, hij mocht eens te veel zeggen. En dan moet je maar afwachten hoe Jasper daarop reageert. Hij kan zo genadeloos in zijn oordeel zijn.
'Zo, zo, Lanting, da's voor het eerst dat ik dat van je hoor.'
'U heeft me er nooit naar gevraagd.'
Da's waar wat de man zegt. Over de saamgelegde vingertoppen gluurt Jasper naar Lanting. De man zit wat weggezakt in zijn stoel. Lanting behoort tot de oude garde, waarvan een heel aantal mensen is vertrokken die het met het invoeren van het nieuwe systeem niet eens waren. Hij maakte er niet veel woorden aan vuil: wie niet wil, wie niet zal. Hij was ze liever kwijt dan rijk. Al had hij wel aan hen zijn volle medewerking verleend in het zoeken van ander werk. Sommige zitten nu weer op de sardien- en makrelenvangst, anderen hadden pech, lopen in de WW. Dat zou hij voor Hannes Lanting niet willen, bedenkt hij nu. Zachtjes zegt hij: 'Nog-

maals, ik vraag het je en ik wil een eerlijk antwoord.'
Een eerlijk antwoord? Moest hij zeggen dat heel dat gedoe met Munsters hem voorkomt als een schurkenstreek en huichelarij tegenover de houw en trouw van Jongkees senior? Maar hij wil zijn eigen baantje niet in gevaar brengen. Daarom zegt hij: 'Ik geef toe, het valt niet altijd mee, meneer. Vooral de dagen met het werk van Munsters erbij.'

Jasper kijkt hem niet aan, rommelt wat in een bundel papieren op zijn bureau. Hij vraagt zich even af of hij Lanting de ware reden zal vertellen over Munsters. Ach, waarom, als eenmaal de kogel door de kerk is, merkt de man het zelf wel. Maar ja, Lanting is al jaren een betrouwbare kracht, de man hoort als het ware bij de inventaris. Voor Jaspers vader was er maar één: Hannes Lanting. Over een paar jaar gaat de man met pensioen. Welverdiende rust na een arbeidzaam leven, en hij gunt het de man met heel zijn hart. Maar de laatste tijd vergiste Lanting zich met het tellen met de aangevoerde kistjes van de nog te roken sardien en makreel. Tellen en nog eens tellen was het, en iedereen telde mee, Riekelt voorop. Die wees meteen Lanting aan. Als meesterknecht was hij verantwoordelijk voor het reilen en zeilen op de werkvloer, dus bij hem lag de fout. Hoe zwaar het ook viel, hij kwam er ruiterlijk voor uit, alle schuld aan hem. Het had Jasper ontroerd de man daar zo verbijsterd te zien staan. Hij had hem op de schouder geklopt en gezegd: 'Aan het werk maar weer en voortaan beter tellen.'

'En je schoolgeld terughalen,' had Riekelt er grijzend aan toegevoegd en zijn benige handen grepen kistjes gerookte sardien van de band.

Jasper was met een bezwaard hart teruggelopen naar het kantoor. Hij had Hannes niet af willen bekken waar een ieder bijstond, want ach, waar gewerkt wordt vallen fouten. Het was niet leuk, maar er zijn ergere dingen. Als die kistjes nu maar niet juist van Munsters waren geweest, dat kon nog weleens roet in het eten gooien. En ja hoor, in de namiddag kwam Munsters met een gezicht als een donderwolk het kantoor binnenstuiven. Het was van dit en dat, en die vent is niet capabel voor zijn werk, je moet hem op staande voet ontslaan.

'Je bedoelt Lanting?' had Jasper langs zijn neus weg gevraagd.

Munsters met een lelijk gezicht: 'Wie anders?'

'Je hebt zeker met Riekelt staan praten?' Riekelt hoorde bij het jonge volk met de hoop op de toekomst gericht. En het moet gezegd, dat jong heeft kijk op het werk... Riekelt snakt ernaar het baantje van Hannes Lanting over te nemen, en schuwt daarin niets. Munsters zanikte maar door en Jasper had verwonderd gedacht: Is dat die vriendelijke Munsters?

'Over hoeveel kistjes gaat het nu feitelijk?' Hij schonk een borrel in, schoof het glas naar Munsters en zei: 'Hier, drink op, kom tot bedaren.'

Munsters slurpte langzaam proevend, klakte met de tong, zei: 'Best spul,' schudde zijn hoofd en vervolgde: 'Dat met Lanting schijnt je niks te doen, hè?'

Peinzend keek hij naar de man die hem die vraag stelde, en vroeg zich af: Als het ooit tussen hen tot fuseren komt, zouden ze blij zijn met elkaar, hij met zijn scherp inzicht, en Munsters met zijn vriendelijke sluwheid. Tegelijk drong zich aan hem op wat zijn vader altijd zei: 'Luister jongen, eens run jij de rokerij, en hoe het in de toekomst ook mag gaan, blijf altijd op eigen benen staan. Samengoed is geen goed, vroeg of laat komt er de klad in en begint de misère.' Vader speelde net als Lanting op zeker.

Riekelt en Hannes, zolang Jasper weet, heerst er een gewapende vrede tussen die twee. Maar tot nu toe was Hannes de baas. Zou het toch niet beter zijn Hannes bij een andere ploeg in te delen? En Munsters wauwelde maar door over die kistjes, en spuwde tegelijkertijd zijn gal over Hannes. Helemaal ongelijk had Munsters niet, Hannes takelt af, maar toch: ontslaan? Hij stroefde: 'Weet wel, Munsters, Lanting is een oudgediende. Wat die kistjes betreft, daar komen we wel overheen. Als je zo op je centen staat, ik heb nog genoeg krediet op de bank.'

'Zo, zo,' zei Munsters. Alleen maar 'zo, zo', en keek daarbij Jasper recht in de ogen. 'Hannes Lanting? De tijd zal het leren, maar vergeet Riekelt niet. Wees eerlijk, Jasper, twee rechterhanden en de wil tot werken, dat jong verdient het.'

Het was voor het eerst dat Munsters Jasper tegen hem zei. Dat schept vertrouwen en daarom had Jasper nagedacht over Riekelt, die zich beter met het jongvolk kan schikken dan Hannes.

Hannes, die nu onderuitgezakt zit op zijn stoel, en eerlijk bekent dat het werk hem soms te zwaar wordt, Hannes, wie de vermoeidheid op zijn gezicht staat gegrift. Heeft Munsters dan toch gelijk? Maakte Hannes die fout door oververmoeidheid? Vooruit, het moet toch gebeuren: Hannes van die post af en Riekelt erop. Maar om dat nu Hannes in zijn gezicht te zeggen, valt hem zwaarder dan hij dacht. Hij zucht onhoorbaar, schept moed en zegt: 'We moeten eens ernstig praten, Lanting.'

Hannes veert rechtop. Zo te zien heeft Jasper er moeite mee, en zachtjes zegt Hannes: 'Ik denk dat wat jij me te vertellen hebt geen leuke woorden zijn, Jasper Jongkees.'

Jasper springt overeind, voelt dat hij rood wordt tot achter zijn oren. Hij kent Lanting, en Lanting kent hem. Die draai je geen rad voor de ogen. Hij gaat weer zitten, kucht een paar maal en zegt: 'Ik was er al bang voor dat het werk je te zwaar werd. Nu heb ik zo gedacht: als we de leiding nu eens aan een ander geven en jij verhuist naar de inpakafdeling. Dan krijg je het stukken makkelijker.'

Is dit Jasper die de passie preekt, of zit die vriendelijke huichelaar van een Munsters hier achter? Vast wel. Hannes vraagt: 'Komt dat idee bij jou vandaan, of van je compagnon?'

'Compagnon?' Hij schudt zijn hoofd: 'Zover is het nog niet.'

'Zover komt het wel.' Wonderlijk hoe rustig Hannes vanbinnen is. Ergens heeft hij dit zien aankomen. Maar hij kan op de rokerij blijven, da's al heel wat, is Bets ook tevreden. Hij zegt: 'Dus als ik je goed beluister, mag ik je nog dankbaar zijn ook: van meesterknecht terug naar de inpakafdeling.'

'In loon ga je er niet op achteruit.' Bom, Jasper zit weer achter zijn bureau. Het gesprek met Lanting valt hem niet makkelijk. Hij strijkt een paar maal door zijn haar. Wat is-ie moe, nu alles gezegd is wat gezegd moest worden.

Ook Hannes heeft zo zijn gedachten. Heel zeker weet hij: dit komt van Munsters af, niet van Jasper, al is dat ook geen lieverdje. Wat heeft die 'ouwe' vos er mee voor? Er kan van alles achter zitten, goed of kwaad. Instinctief heeft hij die kerel nooit gemogen, en nu zie je maar.

Rustig zegt hij: 'Vertel eens, wie komt er op mijn plaats?'

'Riekelt Govers.'

Als-ie het niet dacht! Riekelt met zijn geflikflooi en fluwelen tong, daar zijn de heren gevoelig voor, Munsters voorop. Hannes komt van zijn stoel overeind, plant zijn pet op zijn hoofd. Plots, als in een visioen, komt het huren van 'De witte zwaan' dichterbij. Hij had het idee – na harde woorden met Luit – ver van zich af had gegooid, maar door wat Jasper Jongkees hem nu flikt, komt dat opeens dichterbij. Een winkel in zuur, waarbij de vergunning van verkoop op naam van Guurtje Stam blijft staan, al zullen daar nog wel de nodige haken en ogen aan zitten.

Alles lijkt opeens niet meer zo donker als het is. Die plotselinge afgang lijkt beter te dragen. Hannes zegt: 'Is er nog meer tussen ons te bespreken, meneer?'

Jasper worstelt met een gevoel van onbehagen, vraagt zich af waar hij eigenlijk mee bezig is… Maar toch, de fusie met de rokerij van Munsters komt dichterbij. Als hij naar Hannes Lanting kijkt, is het kwaad al geschied. Toch op Hannes' vraag ingaand, zegt hij: 'Ik zou het niet weten. Je kunt weer gaan, Lanting.'

'Dus vanaf morgen toujours naar de inpakafdeling?'

'Laten we zeggen: volgende week.' Hij doet een greep naar het sigarenkistje en houdt het Hannes voor: 'Hier, neem er een.'

'Een sigaar, een judaskus?' Even stokt Hannes, hij schudt zijn hoofd: 'Nee, dank u, meneer.'

Diep getroffen blijft Jasper achter in zijn kantoor. Door het raam kijkt hij Hannes na, die het trappetje afdaalt naar de werkvloer. De man heeft gelijk, een sigaar, niet meer dan een judaskus. Hannes, jarenlang een prima kracht, en nu... Munsters heeft makkelijk praten. Maar hij, waar is hij in vredesnaam mee bezig? Hij springt op, loopt heen en weer, blijft voor het raam staan. Op de werkvloer staat het volk in een kluitje om Hannes heen, Riekelt vooraan. Eentje wijst naar boven, het gaat natuurlijk over hem – Jasper. Hij voelt opeens een onbedwingbare behoefte zich te laten gelden, zich te rechtvaardigen tegenover het personeel dat met verhitte rode koppen staat te praten. Met een paar passen staat hij bij de deur, rukt hem open en schreeuwt met overslaande stem: 'Aan het werk jullie. Govers, zal je die kisten niet eens over tellen, of moet ik je d'r met je bakkes opdouwe?'

HOOFDSTUK 3

De kogel is door de kerk. De rokerij van Jasper Jongkees is gefuseerd met de rokerij van Munsters. En de Lantings hebben het café van Guurtje Stam gehuurd en omgebouwd tot een winkel in zuur. Dagenlang hebben de Lantings met medewerking van een paar collega's van Luit getimmerd en geschaafd, hier en daar gemetseld en de muren wit gekalkt. Gort Stevens, die het schilderen in zijn vingers heeft, kreeg er meer en meer plezier in en klodderde op de achterkant van de etalage een zeegezicht met een aantal botters aan de trek op sardien en makreel. Gort overtrof zichzelf en de ah's en oh's waren niet van de lucht. Tinus Boontjes, door al het enthousiasme aangestoken, droeg ook zijn steentje bij. Voor een zacht 'prikkie' heeft hij een aantal bruikbare tafeltjes en stoelen opgescharreld, en gaf er gratis het advies bij: 'Een verfie erover, Hannes, en het spul ziet weer-as nieuw. Als je ze dan in je zaak zet, kenne de klantjes aan tafel een vissie eten, tegen betaling weliswaar.'

Hannes had hierover zo zijn twijfels. Eerst zien of de loop erin komt, maar tot nu toe laat het zich goed aan zien. Bets en Guurtje staan om beurten achter de toonbank. Bets wordt gerespecteerd om haar eerlijkheid, en Guurtje om haar kameraadschappelijke scherts die ze uit haar tijd van achter de tapkast nog niet vergeten is. Ook naaide ze blauwgeblokte kleedjes voor over de tafeltjes, waarop ter versiering een vaasje kunstbloemen. Dat was tegen de zin van Bets, die liever papieren servetten had gehad. Kleedjes moet je wassen, en om werk zat ze niet verlegen, en dat met Barendje erbij. En dan nog eens wat, had ze verder gemopperd, nu mogen ze dan die drukte van de verkoop achterom kwijt zijn, maar dat gezeur met die kachelhoutjes gaat gewoon door. Ook Luit ergert zich daaraan, al heeft hij tot nu toe tegenover zijn vader er met geen woord over gerept. Maar nu zei hij het wel: 'Gooi toch die verkoop van kachelhoutjes eens aan de kant, vader, we hebben nu de winkel.'

Hannes weerde af: 'Afwachten, er is nog geen goudgeld mee te verdienen.' Bets is het hierin volkomen met hem eens. Maar Guurtje staat aan Luits kant. Toch moet Hannes eerlijk bekennen dat Luit het vanaf het begin goed heeft gezien. In de zaak komt de loop en het brengt meer geld in het laatje dan hij voordien durfde hopen. Ook Mijntje, als ze een weekend thuis is, heeft er plezier in. Dan staat ze achter de toonbank in een nauwsluitend zwart japonnetje en een wit schortje voor, en weet met haar vrolijke lach de klantjes te binden. En wie komt daar ineens binnenlopen? Jasper Jongkees. Hij hoorde alleen maar goede verhalen over de winkel in zuurwaar en over het vriendelijke personeel en hij wilde zich daar persoonlijk van overtuigen door een visje te kopen. Hij neemt achter een tafeltje plaats, doet zijn bestelling en vraagt terloops: 'Ken je me nog, Mijntje?'
Ze ziet zijn dikke blonde haardos, de dure snit van zijn kostuum, want zoiets kun je geen pak meer noemen. Jasper Jongkees is, na die fusering met Munsters, een man van geld en aanzien. Wat ze ervan weet is dat hij haar vader niet mooi behandeld heeft. Moeder spuwde zwavel en vuur, al sprak vader er met geen woord over. Het praatje gaat rond dat Jasper Jongkees scharrelt met Jeanne Munsters. Het zou kunnen, geld zoekt geld, komt Jeanne, een 'overblijvertje', toch nog aan de man.
Mijntje serveert zijn bestelling, voelt hoe ze bloost onder zijn vriendelijke blik en warmhartelijke toon. Hij vraagt haar van alles onder het eten door. Vooral over vroeger, toen hij haar als klein meisje paardje liet rijden op zijn schouders, en ze met z'n allen alikruiken aten op de stoep bij de achterdeur.
'Ja,' schatert ze. 'Tot mijn moeder er genoeg van had, ons wegjoeg met de bezem, en mopperend de lege doppen bij elkaar veegde.'
Hij hoort haar ongedwongen lach en lacht met haar mee. Mijntje was vroeger al een leuk kind, altijd opgewekt en vrolijk.
'Smaakt het?'

Hij trekt een stoel onder tafel uit, noodt: 'Eet toch een hapje mee.' Als hij ziet dat ze aarzelt, zegt hij: 'Wat kijk je nu beducht?' Dan half spottend: 'Waar broeken zijn, betalen geen rokken.'

Ze schudt haar hoofd. "t Zou een mooie boel worden als ik met iedere klant een hapje mee at.'

'Dus je weigert?'

Plots valt uit haar mond: 'Ze zeggen dat je verkering hebt met Jeanne Munsters.'

'Ach, zo, zeggen ze dat...'

Munsters danst zijn geest binnen: 'Mijn zegen heb je, als je dat maar weet.' De vader vrijt nog harder dan de dochter. En enigszins geagiteerd was Jasper uitgevallen: 'Het lijkt erop dat je haar kwijt wil.'

Munster blaast tegen het vuur van zijn sigaar, knipoogt en zegt: 'Welke vader wil dat niet?' en met een olijk lachje: 'Je moet het zo zien, het versterkt de band en Jeanne is een lief kind.'

Ja, Jeanne is een lief kind, dat wel, maar dat is het dan ook. Toch, wat Munsters zegt, 'versterken van de band', die woorden laten hem niet los. Jeanne, enig kind en erfgenaam, een reden des te meer daar goed over na te denken. En vanaf die dag bekeek hij Jeanne met andere ogen. Vorige week is hij voor het eerst met haar een avondje uit geweest, naar het casino. Hij heeft met haar gedanst, voorzichtig, alsof hij bang was haar frêle gestalte te breken. Zo had hij ook met haar gepraat, angstvallig zijn woorden kiezend, bang haar te kwetsen.

Maar zag hij tijdens hun gesprek niet af en toe een stille, genegen blik in haar ogen? Des te beter, al heeft hij geen haast. Hij wacht rustig tot het vuurtje begint te gloeien en ze uit zichzelf begint.

'Nou, zeg eens wat,' houdt Mijntje aan.

'Wat wil je dat ik zeg?' Mijntje, als iedere vrouw nieuwsgierig.

'Dat van jou en Jeanne, ze zeggen...'

'Lieve kind, ze zeggen zoveel,' valt hij haar in de rede.

'Dus het is waar?' Mijntje, ze houdt maar aan.

'Gedeeltelijk, en wat dan nog?' Glimlachend kijkt hij haar aan: 'Geef me liever nog een portie zure sardien. Het smaakt me voortreffelijk.'

'Fijn dat te horen.' Net als vroeger weet Jasper Jongkees handig de vragen te omzeilen.

'Asteblief.' Mijntje zet een tweede portie voor hem neer en legt daarnaast de rekening. Ze zegt kort: 'Ik wil graag meteen afrekenen.'

Een glimlach krult zijn lippen: 'Ben je bang dat ik zonder te betalen wegloop?'

'Ik ben nergens bang voor.' De punt van haar eigenwijze wipneusje gaat de hoogte in; dat had ze vroeger ook als ze kwaad werd.

'Ben je boos op me?' Als hij naar zijn gemoed te werk ging, trok hij haar tegen zich aan en kuste haar hard op de mond. Mijntje, vroeger een kleine 'hakketak' en opgegroeid tot een jonge vrouw die het aankijken waard is, zal ze weleens door een jongen zijn gekust? Vast wel. Hij werpt een blik op de rekening – geen overdreven prijs – pakt zijn portemonnee en telt het geld op tafel uit.

'Zo goed?' Vragend kijkt hij haar aan.

'Je betaalt te veel.' Ze schuift een rijksdaalder terug.

'Da's fooi voor jou.'

'Hier worden geen fooien aangenomen.'

Een zacht spottend lachje: 'Personeel neemt altijd fooien aan.'

Ze kat terug: 'Ik ben geen personeel, ik ben Mijntje.'

'Of ik dat niet weet.' Hij steekt zijn hand naar haar uit: 'Dag Mijntje, het was me een genoegen.' Dan bemerkt hij haar aarzeling: 'Wat nou, krijg ik geen hand van je?'

Opnieuw bloost ze onder zijn strakke blik. Hoe lang is het niet geleden dat ze als kinderen met elkaar speelden, zij op klompen, hij op glimmend leren schoenen. Ondanks Jaspers spontaniteit hing er altijd die aparte sfeer om hem, die hem van hen scheidde. Ze legt haar hand in de zijne: 'Dag Jasper.'

'Het ga je goed, Mijntje.' Met vlotte pas loopt hij naar de deur, maar opeens blijft hij weer staan. Hij keert zich naar haar toe en vraagt: 'Vertel eens, hoe gaat het eigenlijk met Truida?' Hoe het met Luit gaat, weet hij van dichtbij. Laat Luitje maar schuiven, die kijkt verder dan het vel van zijn neus. Luit is de meest goocheme van de Lantings en 'De witte zwaan' legt hem bepaald geen windeieren.

'Truida?' Een spitse ijverzucht schokt in haar op. Wat is dat voor een vreemd gevoel? Truida is haar zuster. Bah, ze vindt zichzelf onredelijk, maar desondanks zou ze willen zeggen: 'Ben ik het aankijken niet waard?' Maar ze zegt: 'Over veertien dagen heeft ze een vrij weekend, kun je het haar zelf vragen.'

Jasper Jongkees lacht vrolijk. 'Daar zeg je wat, dat zal ik onthouden. Dag Mijntje.'

De deur valt achter hem dicht. Mijntje staat zich nog een poosje te verwonderen over zijn onverwachte bezoek, maar nog het meest over zijn vraag naar Truida. Terwijl het praatje toch gaat dat hij met Jeanne Munsters scharrelt. Ach, wat kan Jasper Jongkees haar schelen. Op het tafeltje ligt de zilveren rijksdaalder, een fooi die glinstert in het zonlicht.

Bets Lanting zit in haar stoel en breit vlijtig aan een babytruitje. De breinaalden tikken zachtjes en glanzen op in het licht van de schemerlamp. Het theeblad staat op de tafel waarop de kopjes spiegelen en de theepot staat op het lichtje. Een vredige stemming hangt in het vertrek, maar niet in het hart van Bets. Af en toe houdt ze op met breien, werpt een blik door het raam naar buiten waar een vale avondschemering valt. Hannes was gaan kaarten, maar daarvoor nog even naar de winkel. Hannes is elke avond naar de winkel, waar hij volgens eigen zeggen 'poolshoogte' neemt. Zij – Bets – had in het begin duizend bezwaren tegen die winkel. Maar het loopt boven alle verwachting in en brengt goed geld in het laatje. Hannes zegt ook steeds: 'Als het zo doorgaat, kan ik mijn baantje bij de rokerij wel opgeven.'

Waarop zij dadelijk opstuift: 'Je bent niet wijs, je gooit geen ouwe schoenen weg voor...'

'...je nieuwe hebt,' valt hij haar dan lachend in de rede. 'Maar ik moet toegeven, Luit heeft het goed gezien.'

'Ja,' gromt ze dan, 'en nog beter geschoten.'

Luit die halsoverkop met Guurtje Stam is getrouwd. Jawel, een 'moetje'. Sprakeloos had ze hem aangekeken toen hij het haar zo tussendoor eventjes vertelde: 'Moe, ik moet trouwen met Guurtje Stam.'

'Jij?' stamelde ze: 'Jij moet...' Haar stoere, fijne knul, die nooit een meid aankeek en nu opeens... Guurtje Stam, een weduwe van tegen de veertig. En haar eerste felle reactie was: 'Je liegt het.'

Even fronste hij zijn wenkbrauwen: 'Waarom zou ik liegen, moeder?'

'Omdat, omdat...' Opeens woedend viel ze heftig tegen hem uit: 'Trouwen is tot daaraan toe, maar met een weduwe, een afgelikte boterham, waar zit het je?'

Stilte hing tussen hen, het leek of hij over haar woorden nadacht. Opeens zei hij: 'Weet wel, moeder, we hebben veel aan Guurtje te danken.'

Dat dat jong niet begreep dat hij de kroon van zijn hoofd had gestoten! Waar was het respect en fatsoen gebleven die ze hem als kind altijd had voorgehouden? Had ze zich als trotse moeder blind gestaard op hem? Als een echo hoorde ze opeens Hannes' woorden: 'Ken jij je eigen zoon wel?'

Ze begon hard te lachen en hoonde: 'En nu dacht jij: voor wat hoort wat. Fijne zoon heb ik.'

Krijtwit trok hij weg onder haar belediging, stond op en liep in de richting van de deur. Terstond zag ze haar vergissing in, sprong overeind en jammerde: 'Niet zo, Luit.' Maar pal voor haar neus gooide hij de deur dicht.

Dagen van spanning volgden en geen woord werd er tussen hen gesproken. Hannes suste en troostte over en weer tussen moeder en zoon. Toen razend, omdat geen van beide van toegeven wist, en ook bij hem de innerlijke spanning niet meer te dragen viel, barstte de bom. Hannes had woedend met zijn vuist op tafel geslagen en gesnauwd: 'Als jullie dan niet anders willen, dan splitsen we de boel. Luit en Guurtje houden de winkel en wij blijven hier. Zo is het tussen ons geen leven, dus zeg het maar.'

Dat stemde tot nadenken, en uiteindelijk bleef alles zoals het was. Luit en Guurtjes trouwden nog dezelfde maand, en het werd een heel gezellige bruiloft in het achterzaaltje van 'De witte zwaan'. Zelfs Jasper Jongkees was gekomen met de beste wensen voor het bruidspaar en had vele handen geschud. Ook die van Truida, naast wie hij heel de avond bleef zitten, lachend en schertsend en al zijn aandacht aan haar bestedend. Het was Hannes die het opviel en Bets erop wees: ''t Is dat-ie met Jeanne Munsters scharrelt, anders zou je toch denken...'

'Denk jij maar niks,' snibde ze. 'Geld trouwt geld en zo mooi heeft-ie jou niet behandeld.'

Hannes gaf tegengas: 'Het is maar hoe je het bekijkt. Ik heb het stukken makkelijker gekregen en hetzelfde loon gehouden. Ja, dat noem ik mooi.'

Kribbig antwoordde ze: 'Maar het aanzien van het volk ben je kwijt, denk daar eens aan.'

'Ik denk liever dat het ons allemaal voor de wind gaat en we geen klagen hebben.' Hannes weer.

En daar heeft hij gelijk in. Alle dagen hebben ze hun natje en droogje en de veilige warmte van huis en haard. Maar toch, die schaduw van dat 'moetje' met Luit en Guurtje... die schande kan zij Bets nog steeds niet goed verwerken. Guurtje die nu op alle dagen loopt, Luit een kus op zijn wang drukt en zegt: 'Ik ben zo blij, jongen, nu word ik toch nog moeder.'

'Nou ja,' had Bets gereageerd toen Luit haar dat vertelde. 'Dat gaat zo met de eerste, maar bij de tweede is het al wat minder, en bij de derde vind je het gewoon.'

Beduusd keek hij haar aan, zei toen: 'Voor Guurtje ben ik blij.'

'En jij?' vroeg ze. Ze had de indruk dat het hem niet veel deed.

'Ik?' Zijn blik dwaalde van haar weg.

'Ja, jij?' drong ze aan. 'Wie anders? Jij bent straks vader.'

Zijn blik keerde terug, hij keek haar vast in de ogen en zei: 'Hierin liggen de gevoelens voor een man anders dan bij een vrouw.'

Ze zag zijn strak vertrokken mond, zijn koele blik, en opeens wist ze heel zeker: het huren en verbouwen van 'De witte zwaan' was voor hem het hoofdmotief geweest, en al wat daarna kwam... Haar vrouwelijke intuïtie zegt haar dat het hem koud laat, maar het feit ligt er en er blijft hem niet anders over dan het te aanvaarden. Zachtjes zei ze: 'Ja, jongen, als het alleen bij het proberen bleef, maar je hebt het eerder dan de honderdduizend.' Ze tikte hem bemoedigend op de handen zei: 'Wees lief voor je vrouw, ze verdient het.'

Verwonderd keek hij haar aan, schudde niet-begrijpend zijn hoofd en zei: 'Van u krijg ik ook geen hoogte. Eerst praat u zus, dan praat u zo.'

Hij had gelijk. Over Guurtje kan ze niet meer dan een paar stug-vriendelijke woorden kwijt. Toch weerde ze: 'Doe jij nu maar wat je moeder zegt, een vrouw die zo loopt verdient alle steun van haar man.'

Maar Guurtje Stam was een weduwe en intussen al veertig. Bets hoort de klink van de achterdeur. Da's Hannes. Terug van zijn wekelijkse kaartavondje bij Giel Blom. Blom was één van de beste rokers bij Munsters, maar was na de fusie in dienst gekomen van Jongkees. Hannes komt binnen en geeft een speels tikje tegen haar wang: 'Zo, grootmoeder in spé.'

Geagiteerd duwt ze zijn hand weg. 'Niet doen, ik hou niet van die gekkigheid, dat weet je wel.' Hannes is blijer met hun aanstaande kleinkind dan zij.

Ze rolt het breiwerk op, komt overeind uit haar stoel, pakt de kopjes van het blad, doet er een schepje suiker in en zegt: 'Je bent lang weggebleven. Had Giel zoveel te vertellen?'

Hij trekt een stoel bij. 'Giel heeft altijd wat te vertellen.'
Een kort knikje. 'Melk?' Ze houdt het kannetje omhoog.
'Dat weet je wel, net als vroeger suiker en melk.'
'Vroeger ja, maar tijden veranderen. Kijk maar eens om je heen.'
Een vlugge blik. Hannes merkt het al, dat 'moetje' van Luit en Guurtje zit haar weer hoog. Soms zo hoog dat er geen land met haar is te bezeilen.
'Kom,' zegt hij. 'Daar gaan we toch niet over redetwisten. We gaan gezellig theedrinken. Nog iets van Truida gehoord?'
'Vanochtend een briefkaart, ze komt volgende week. Hier, een chocolaatje.' Ze houdt hem het trommeltje voor.
Hij stopt een flik in zijn mond, sabbelt er met smaak op, Bets grijpt weer naar haar breiwerk. Hij slurpt aan zijn thee en zijn blik zwerft door de kamer. Om de kachel staat het droogrekje met ondergoed, hemden en broeken. Al die 'wasvlaggen' om de kachel, hij vindt het maar niks, heeft er een gloeiende hekel aan. Maar Bets vindt dat met vochtig weer de spullen toch droog moeten. Toch maar een paar lijnen in de keuken slaan. Gegalvaniseerd draad, dat roest niet zo snel. Straks met die kleine van Guurtje... Luiers, flanelletjes, hoe goed weet hij het nog van toen zijn eigen kinderen in de wieg lagen te trappelen.
Kinderen van hem en Bets. Wat houdt hij van ze, van allemaal evenveel. En ook van Guurtje, die eerst de buurvrouw was en nu hun schoondochter. En wat Luit betreft... Ach, Hannes had het ook liever anders gezien, maar het feit ligt er en Guurtje is een lieve meid.
Het enige geluid in de kamer is het geklik van Bets breinaalden en het gesputter van het theelichtje.
'Wat moet dat worden?' Hij knikt in de richting van het breiwerkje.
Ze kijkt op: 'Dat zie je toch, een babytruitje.'
'Ach zo, een babytruitje.' Hij glimlacht dan in herinnering: ''t Is allemaal zo lang geleden.'
Het breien valt stil. Bets richt zich hogerop in de stoel, valt

scherp uit: 'Straks is het heel dichtbij.'

'Kom, kom, beter getrouwd dan gerouwd.'

'Je denkt er wel heel licht over.'

'Weet je wat ík denk,' werpt hij tegen, 'dat Luit zijn plicht tegenover haar niet kan en mag vergeten.'

'Jij denkt, jij denkt.' Ze springt op van haar stoel, steunt met beide handen op de tafel, buigt zich naar hem toe, valt grimmig uit: 'Dat zij hem er heeft ingeluisd, zo denk ik.'

'Vrouw, vrouw toch.' Hij schudt zijn hoofd. 'Maak jezelf toch niks wijs, daar zijn er twee voor nodig. Moet ik nog meer zeggen? Drink je thee uit, ze wordt koud. En vergeet niet, door Guurtjes inbreng leven we in een tikkeltje meer welstand.'

Bets grijpt weer naar het breiwerk, is nu wat bedaarder. Het is waar wat Hannes zegt. De winkel brengt aardig wat op, al is Hannes door de vele vraag in de buurt toch weer met de verkoop van kachelhoutjes begonnen, tegen de zin van Luit in. Die norste: 'Moet dat nu per se, vader? Jaren heb je voor ons gezorgd, laat ik het nu eens voor jou doen.'

Hannes wilde zeggen: 'Ik, je bedoelt jij en Guurtje,' maar zei: 'Ik kan m'n ouwe klantjes niet teleurstellen.' Daarmee was voor Hannes de kous af.

Luit echter zinde het niet, die kwam steun bij haar zoeken.

'Snapt u die man nou, moeder? Gaat het ons eindelijk voor de wind, begint vader weer met de verkoop van dat kachelhout.'

Of ze het begreep. Luit was meer van haar slag, koel en berekenend. Hun dochter Truida lijkt meer op Hannes, rustig en kalm, soms op het gedweeë af, maar met een stille koppigheid die soms een ieder versteld doet staan.

'Wanneer komt die kleine?' Hannes onderbreekt haar gedachten met die vraag.

'Ze is nu uitgerekend.' Bets legt haar breiwerk weer neer: 'Ik zal je nog een bakkie inschenken.'

'Doe dat, thee met een lekker chocolaatje.' Plots zegt Hannes peinzend: 'Weet je wat ik nu bedenk: we zetten het logeerbed in de voorkamer, dan kan Guurtje hier bevallen.'

Ze gaat er niet direct op in, schenkt zichzelf ook een bakkie in. Dan zitten ze zwijgend tegenover elkaar in het gedempte schemerlicht, waarin het brandend theelichtje zijn warmte verspreidt. Dat maakt haar hart mild en in de vertrouwdheid van dit avonduur voelt ze als het ware Guurtjes liefde die vanuit haar hart naar hen allen toestroomt. Maar Hannes' voorstel dat Guurtje hier... nee, dat gaat haar een stapje te ver. Ze zegt: 'Ik denk dat Luit daar andere gedachten over heeft. Hij zei al: als het kind komt, moet ze maar naar de kraamkliniek. Geen rompslomp in huis.'

'Hoezo?' Een diepe frons trekt tussen zijn wenkbrauwen, al die nieuwigheidjes tegenwoordig.

'Wat, hoezo? Je hoor er wel meer van.'

'En jij bent van al de kinderen thuis bevallen.'

'Dat was toen. En Luit heeft gelijk, zo piep is Guurtje niet meer. Mochten zich complicaties voordoen, dan is ze daar op haar plek.'

'Guurtje, loop heen, een gezonde vrouw van vlees en bloed.'

'Je weet het maar nooit.' Denkend aan wat Luit haar zei, vervolgt ze: 'Het is net wat Luit zegt: naar de kliniek en geen rompslomp in huis.'

Dus dat is het, denkt hij pijnlijk getroffen. Geen gedoe in huis, dat geldt meer dan Guurtje alleen. Guurtje is één en al goedheid en toegevendheid, en dan praat Luit zo, en Bets gaat erin mee. Bets is in karakter sterker dan Guurtje, da's nu en vroeger ook toch wel. Ze hadden altijd trammelant om die kippen. Als een plaatje staat het nog in zijn geheugen gegrift. Hij ziet zichzelf nog over het hekje hangen dat de afscheiding vormt tussen hun tuin en die van Guurtje Stam. Guurtje tegen wie hijzelf altijd stoerder praat dan tegen zijn vrouw. Guurtje scharrelt bij het kippenhok.

'Tevreden met je kippetjes, Guurtje?'

'Ik zou het wel denken.' Ze toont hem de eieren in haar schort. 'Kijk eens, vier eitjes en de dag is net begonnen.'

'Dus ze benne allegaar weer-an de leg?'

'Ik zou het wel denken, tien eitjes per dag, da's zeventig in de week.'

51

'En moet je ze zelf opeten?'

'Om de dag een eitje, de rest verkoop ik.'

'Kijk-es-an, als jij niet rijk wordt van je kippetjes.'

Een spontane lach: 'Van die achteruitschrapers, dacht het niet.'

'Kan wezen, maar elke cent is er een.'

'En koperen centen zijn meer waard dan blikken guldens.'

'O, als je dat maar door hebt. Maar je moet je haan vasthouden, meissie. Gisteravond had ik er waarachtig woorden om met Bets.'

Die drommelse Barneveldse haan fladderde vaak zomaar de moestuin in, en maar schrapen met die grofgele poten in de pas ingezaaide spinaziebedjes, tot verdriet van hem en ergernis van Bets, die hem met een welgemikte trap onder zijn gevederde achterste over het hek schopt, waar hij luid kukelend in het hok verdwijnt.

Het hele voorval staat hem glashelder voor de geest. De volgende dag was het weer hetzelfde liedje. Bets ging over de rooie, rende naar het schuurtje en kwam met de bijl naar buiten. Hij greep geschrokken haar hand. 'Ben je helegaar betoeterd, daar komt mot van.'

'Wat heet,' snauwde Bets witheet: 'Ik pik het niet langer, die rothaan. Kijk toch eens, al de spinaziebedjes weer omgeschraapt, ze betaalt maar.'

'Ze' is Guurtje. Hij suste: 'Schreeuw niet zo, het komt wel goed.'

'Jij, jij,' snauwde Bets. 'Sinds Luit een woordje heeft laten vallen over 'De witte zwaan' huren, kun je geen kwaad woord meer over Guurtje horen. Ik zou warempel denken dat je...'

Ze had zich omgedraaid en was op een draf het huis ingelopen.

Hij keek haar onthutst na. Was die vrouw van hem jaloers? Ja, in zijn jonge jaren is hij een keer met Guurtje op stap geweest, maar daar was het bij gebleven. Guurtje trouwde Piet Stam. En Bets en hij kwamen pal naast hen te wonen. Zij kregen binnen een aantal jaren vier kinderen, de wieg bij Piet en Guurtje bleef leeg. Beide gezinnen hebben hard voor hun

broodje gewerkt. Maar af en toe is Bets wat narrig tegen Guurtje, en je vraagt je af waarom. Maar ja, daar is het Bets voor. D'r haar heeft ze nog niet verloren en haar streken evenmin, maar wat die haan betrof moest hij Bets gelijk geven. En weer zei hij tegen Guurtje: 'Houd je haan vast, meissie, vandaag of morgen belandt-ie in de soeppot.'
'Door jou of door Bets?'
'Wie denk je?'
'Bets,' antwoordde ze en strooide wat maïskorrels bij de ren. De dag daarop was het wéér raak. De Barnevelder wist uit het hok te ontsnappen, fladderde wat rond, belandde in een sierlijke boog op het houten hekje, keek naar links en naar rechts, rekte zich uit, trok zijn bek open naar de hemel en kraaide naar hartenlust. Alsof ze erop stond te wachten rukte Bets de buitendeur open, een stoffer suisde door de lucht en trof de luid kraaiende haan precies op zijn kop. Dat was de genadeslag. De haan kukelde voorover van het hek, precies in het juist weer opgeschoffelde spinaziebedje, knipperde een paar maal met zijn ogen tegen de volop doorkomende zonnestralen, strekte zijn poten en blies zijn laatste adem uit. Verschrikt had Hannes naar Bets gemompeld: 'Wat doe je nou?' en Guurtjes blik sprak boekdelen.
Bets opruiende zenuwen kwamen door het gebeuren op slag tot rust, stamelt met een blik naar de buurvrouw: 'Dat was m'n bedoeling niet, echt niet, Guurtje, dat moet je geloven...'
Maar prompt daarop schoot ze in de verdediging: 'Maar altijd dat geschraap in die spinaziebedjes was ook zo leuk niet.'
'Klets,' was Guurtje vinnig uitgevallen. 'Je hebt altijd een pest aan die haan gehad en die spinaziebedjes heb ik je willen vergoeden, vraag het je man.'
Maar nu waren de rollen omgedraaid. Hannes voelde zich schuldig tegenover de buurvrouw, en bood aan: 'We zullen je die haan betalen, Guurtje.'
Guurtje had met tranen in haar ogen zijn aanbod afgewimpeld: 'Niet nodig, stop hem maar in de soeppot.' En weg liep Guurtje.

De trotse Barnevelder ging de pot niet in. Bets met zichzelf overhoop door dat voorval, had gezegd: 'Ik krijg er geen hap van door mijn keel.'

Nog dezelfde avond begroef hij het dier achter het bessenboompje in de tuin en Bets plantte er een geranium op. Luit, die bij thuiskomst van zijn werk heel het gebeuren in geuren en kleuren van Mijntje hoorde, wierp een blik uit het raam en merkte cynisch op: 'Jullie zijn wat vergeten.'

'Wat dan?' had Mijntje gevraagd, die behoorlijk van het gebeuren onder de indruk was.

'Een bordje erop met 'Rust in vrede'.'

Toen had je de poppen aan het dansen. Mijntje, de grote dierenliefhebber in het gezin, vloog Luit aan, schopte en schreeuwde, trok hem de haren uit het hoofd en haalde haar scherpe nagels over zijn wang.

Luit deinsde geschrokken achteruit, greep naar de vurige strepen op zijn wang, en Bets, ook totaal overrompeld, trakteerde Mijntje op een muilpeer dat ze sterretjes zag en viel woedend uit: 'Daar! Wat mankeert je? Er zo op los rammen, je eigen broer nog wel.'

Mijntje was in tranen. 'Hij is een dierenbeul.'

'Ach meid, je bent niet goed snik.' Luit, staande bij de kraan, duwde een natte zakdoek tegen zijn wang.

'Welles,' huilde Mijntje. 'Je gooide hem altijd met stenen, ik heb het zelf gezien.'

'Ja,' grauwde Luit. 'En nou is-ie naar de Filistijnen.'

'Zitten,' commandeerde Bets, 'is dat nog een manier van doen.'

Ze zaten met kwade gezichten ieder aan de kant van de tafel, Mijntje met een paar roodbehuilde ogen, en Luit met een kwaaie kop. Hoe komt het toch dat hij zich nu dat hele geval opeens herinnert?

Bets tilt de deksel van de theepot, gluurt erin, vraagt: 'Moet je nog een bakkie, er zit nog wat in.'

Hij schuift zijn kopje bij: 'Schenk maar in.' Bets is een beste vrouw, hij kan zich geen betere wensen. Maar ze heeft haar eigen mening en wijkt er niet van af, en soms is het moeilijk land met haar te bezeilen. Ze praat over Guurtje als over een goede buur, maar toont zich niet de bezorgde schoonmoeder. Zonder een spoor van verwijt, zegt hij: 'Je hebt niet eens gevraagd hoe het met haar gaat.'

Prompt vraagt ze: 'Heeft zij naar mij gevraagd?'

Nee, Guurtje heeft niet naar Bets gevraagd. Guurtje had tegen hem gezegd: 'Ik weet precies wat ik aan haar heb, een speldenprik hier, een speldenprik daar, en het zachte plekje in haar hart moet je echt weten te vinden.'

Guurtje die zwaar liep van Luit, Guurtje, verstild in haar wezen. Guurtje die het geslacht Lanting verzekert. Ontroering was in hem opgestegen en zachtjes had hij haar op de hand getikt en gezegd: 'Probeer jij dat plekje dan maar te vinden.'

Guurtje met haar lieve glimlach: 'Dat lukt me vast wel.'

In een teug drinkt hij zijn kopje leeg en vraagt zich af: zal het haar lukken, Guurtje de toegefelijke, en Bets met d'r speldenprikken, en Luit die tegen hem zegt: 'Trek het je niet te veel aan, vader, vrouwen hebben altijd wat op elkaar te hakketakken.'

'Ben je doof?' Da's Bets die hem een por tegen zijn schouder geeft.

'Doof? Hoe dat zo?'

'Ik vraag je hoe het van de week op je werk ging.'

Vroeger vroeg ze nooit wat, maar sinds hij op de inpakkerij werkt en met het gewone volk meedraait, doet Bets dat wel. Bets' breipennen rikketikken weer en glimmen op in het licht van de schemerlamp. Hij is nu met zijn gedachten op de werkvloer en zegt: 'Giel Blom is nu voor vast bij Jongkees.' Giel is een graag geziene gast onder het werkvolk maar in mindere mate bij Riekelt Govers, want de mening van Giel over Riekelt is niet mals: 'Een roker van lik-me-vessie, met net dat ietsje tekort in zijn vingers.'

Het breiwerk valt stil. Fluks richt Bets haar hoofd op, kijkt hem aan: 'Bemoei je niet met dat geharrewar tussen die twee. Me dunkt, na die fusie heb je genoeg trammelant gehad.'

'Ik bemoei me nergens mee, maar gelijk heeft-ie, Riekelt komt net dat ietsje tekort om een goeie roker te zijn.'

'Hou je d'r buiten.'

'Wel nog mooier, wie begint hier met vragen over het werk? Jij toch.' Hij vertelt door: 'Je had erbij moeten staan. Die praat zinde Riekelt niet, maar tegenover het personeel hield hij zich groot, haalde zijn schouders erover op en zweeg. Een paar dagen later was er weer trammelant, maar nu op een hoger toontje. Giel wees Riekelt erop dat hij de thermostaat te hoog had ingeschakeld. Dan is de kans groot dat het vel barst en de makreel indroogt. Riekelt werd obstinaat, het was van: 'Lazer op en bemoei je er niet mee, wie is hier de meesterknecht?''

Hannes houdt op met vertellen, er roetsjt een pijn door zijn denken. Bets, toch nieuwsgierig geworden naar de afloop van het verhaal, vraagt: 'En toen?'

Giel Blom is een paar maal bij hen op bezoek geweest en ze mag die knaap wel met zijn blijde humor en lachende snoet, en zijn meer dan gewone belangstelling voor Mijntje. Maar Mijntje houdt de boot af.

'En toen?' Lachend bij de herinnering praat Hannes toch verder. 'Giel hield het koppie erbij, trok zich van Riekelts geblaf niets aan. Hij stapte naar de rookkast, draaide de thermostaat wat lager en zei langs zijn neus weg: 'Zo hoort het en al ben je hier meesterknecht, je moet nog veel leren, Govers.''

Hannes kwebbelde door over dit en dat, zus en zo, maar haar interesse over het wel en wee daar op de werkvloer ebt weg. Andere gedachten dringen zich aan haar op. Giel was echt een heertje in zijn grijze broek en blauw colbertje. Giel, die haar het hemd van d'r gat vraagt over Mijntje. En zij, die praat meer dan zit, vraagt hem: 'Voor wie kom je feitelijk, voor ons of voor Mijntje?'

Giel lachend: 'Voor beiden, maar het meest voor Mijntje.' En plots in diepe ernst: 'Wat denkt u, maak ik bij haar een kans?'

Ze zag zijn eerlijke oogopslag. Toen dacht ze aan Mijntje die had gezegd: 'Als ik nog eens trouw, dan wil ik een rijke vent.' Verrast had ze haar dochter aangekeken. Mijntje, die zo dacht. Bets was luidop in de lach geschoten en pareerde: 'Moet zo'n rijke vent jou willen. Jij, een kind uit een arbeidersnest.'

'Nou en?' beet Mijntje fel van zich af. 'Ik hoef geen sardienvisser of iemand uit de rokerij.'

Ze schrok van Mijntjes verbeten stem, schudde bedenkelijk haar hoofd en zei: 'Kind, kind, van wie heb je toch die lef?' Tegen Giel, die op een antwoord wachtte, zei ze: 'Mijntje? Ik zou er maar niet te vast op rekenen, jong.'

'Zou u eens een goed woordje voor me willen doen?' had Giel kinderlijk gevraagd en dat voor een kerel. Dat weten sloeg haar tegen de borst. Maar zij, Bets, is niet voor postiljon d'amour in de wieg gelegd, en kortaf had ze gezegd: 'Dat zul je zelf moeten doen.'

Opeens valt uit haar mond: 'Giel heeft zin an Mijntje.'

'Wat?' Dat nieuws onderbreekt Hannes woordenstroom. 'Giel op Mijntje?' En met een glimlach: 'Het is een keurig oppassende knul, en vast werk en een goed salaris.'

'Zo zie jij het, maar Mijntje ziet het anders: voor haar geen werkman.'

'Wie zegt dat?'

'Je dochter.'

Bets' antwoord slaat hem met verwondering. Zijn kleine Mijntje, zo zacht, zo lief, zo vertroetelend teer, en zijn vaderlijke blijheid met zo'n kind. Maar kinderen worden groot, gaan anders denken en dan groeit er afstand tussen hen en de ouders. Zo ook met Mijntje, die sinds ze werkt als verloskundige in het ziekenhuis Mira genoemd wil worden. Hij ziet haar weer voor zich staan, met grote boze ogen: 'Onthoud nou eens, vader: Mira.'

En hij die dacht: Is dit het kind wat ik vroeger zo lief had? Nu weet ik beter, dat was een beeld uit eigen fantasie. Ze is nu een jonge vrouw die ik tracht te begrijpen, maar die uit mijn leven ontglipt. Het is een weten dat pijn doet, want dat ze zover buiten hun kring leeft, daar had-ie geen vermoeden van. En met Mijntjes beeld voor ogen zegt hij: 'Ik zie d'r ook niet direct getrouwd met een hoogleraar.'

De breipennen rikketikken feller: 'Wie weet waar ze mee an komt sjouwen.' Bets denkt daarbij aan Luit. Een 'moetje', jawel. Of was dat op voorhand een uitgekiend plan van hem? Luit voor wie eigenbelang op de voorgrond staat, Luit die meer wil zijn dan een eenvoudig lasser. Voor het eerst stelt ze zich de vraag: ziet hij in Guurtjes onroerend kapitaaltje 'De witte zwaan' een springplank naar eigen succes? Heeft hij haar en niet zij hem erin laten tuinen?

Die plotselinge gedachte stemt haar tot nadenken. Ze houdt op met breien, haar handen zakken in haar schoot. Ze kijkt naar haar man en zegt: 'Laten we er maar niet meer over praten, het dient nergens toe. Mijntje is net als Luit, ze gaan hun eigen weg.'

'Mira,' zegt hij zacht. 'Ze wil Mira genoemd worden.'

Ze stuift op. 'Je bent gek als je aan die fratsen toegeeft.'

Zachtjes gaat hij erop door. 'Ze denken anders dan wij.' Hè, waarom prikt er nu een klein angeltje in zijn hart?

'Ja, als je daaraan toegeeft.' Hannes en zij denken zo verschillend over de kinderen, dat was vroeger zo, da's nog zo. Wat kletst-ie nu weer?

'Ze doen net als wij deden in onze jonge jaren. Hebben ze de leeftijd dan vliegen ze uit, en dan maar hopen dat ze hun vleugels niet branden.'

'Ja,' antwoordt ze gesmoord. Hannes zegt niet gauw wat, maar als-ie wat zegt kun je het in je zak steken. Volgende week komt Truida. Ze zal blij zijn als ze d'r oudste dochter weer eens ziet.

HOOFDSTUK 4

Jeanne Jongkees zit in haar vertrouwde hoekje bij het raam en verstelt kinderkleertjes. Af en toe werpt ze een blik door het venster naar de tuin. Een opvallend mooie tuin met een groot grasgazon waar schelpenpaadjes zich doorheen slingeren en een grote vijver is aangelegd met waterlelies en gele rietplompen waartussen koi-karpers zwemmen. Jasper heeft de tuin door een hovenier laten aanleggen toen hij het huis liet bouwen. Het is een huis met allure geworden: hoge vensters en uitgebouwde erkers, een glimmende brede eiken voordeur met daarvoor een blauw granieten stoep met aan weerskanten een gegoten ijzeren sierhek.

Jeannes handen zakken in haar schoot en een kille droefgeestigheid overvalt haar. Ze voelt de eenzaamheid zwaarder wegen dan te voren.

Ze houdt niet van dit huis met al die opzichtige pracht en praal. Het is haar opgedrongen. Vanaf het begin stond het haar tegen. Het oude huis met zijn hoekjes en herinneringen, daar voelde ze zich gelukkig. Maar het oude huis werd afgebroken, zodat de rokerij kon worden uitgebouwd. Het is altijd weer die rokerij waar alles voor moet wijken, en dus ook het oude huis dat haar zo lief was. Ze had tegen Jasper gezegd: 'Is dat nu wel nodig, zo'n groot huis met al die opschik?'

Langzaam was zijn blik over haar heengegleden alsof hij over haar woorden moest nadenken. Hij lachte zacht en zei: 'Zie je weer hinderpalen,' sloeg zijn arm om haar schouders, trok haar tegen zich aan. 'Jij, de vrouw van de eigenaar van Jongkees Rokerijen. Denk toch eens in, lieve kind, een nieuw huis helemaal naar de eisen van deze tijd. Menigeen zou jaloers op je zijn. Ik begrijp niet dat dat idee zo moeilijk voor je is. Denk je eens in, wij en de jongen straks in dat nieuwe huis.'

Was het zoals hij zei? Eén ding weet ze heel zeker: haar mening wordt nooit gevraag. Laat staan of het moeilijk voor haar is. Vanaf het moment dat hij haar leerde kennen heeft hij haar innerlijke zwakte aangevoeld. Misschien dat hij daardoor af en toe een beetje medelijden met haar heeft, maar daar blijft het bij. En als altijd had ze toegegeven: 'Je zult wel gelijk hebben, ik zie het vast te somber in.'

Lachend gaf hij haar daarop een kneepje in haar wang: 'Welja, meid, je zult eens zien hoe gelukkig je straks bent in het nieuwe huis.'

Jasper Jongkees, eigenaar van Jongkees Rokerijen. Haar handen krampen samen. Door haar huwelijk met Jasper bracht zij rokerij Munsters mee, maar die naam verviel zodra haar vader stierf. Jasper claimde bliksemsnel, zonder haar medeweten, zowel bij de notaris als de Kamer van Koophandel het alleenrecht op de naam Jongkees. Dat weten overviel haar en ze worstelde met een gevoel of alles voor haar verloren was. Toen ze er wat van tegen Jasper zei, verbeet die een glimlach. Met een speels tikje tegen haar wang had hij koeltjes geantwoord: 'Luister liefje, we zijn getrouwd in gemeenschap van goederen. Wat van jou is, is van mij, dus wat maakt het uit?'

Ze stoof op: 'Zoveel, dat ik de naam Munsters ook weer op de gevel wil.' Jaspers lippen nepen tot een smalle streep; met moeite hield hij een scherp woord in. Toen zei hij koeltjes: 'Je kunt van alles willen, maar het blijft zoals het is.' Kaarsrecht en zelfbewust liep hij door de kamer, opende de deur en sloeg deze met een harde slag achter zich dicht.

Starend naar de dichte deur had ze gedacht: 'Het is weer als vanouds, mijn mening telt niet mee. Ik ben voor hem een verzekerd kapitaal.'

Want al gauw na hun groots gevierde huwelijk kwam de ontgoocheling, en verdween het aureool dat ze in haar oprechte liefde om hem had heen gebouwd. Hij toonde haar zijn eerzucht en sterke wil, waarin hij op een speelse manier geen enkele tegenspraak duldde. Weg was haar droom, het was of de grond onder haar voeten openscheurde en ze in een diepte gleed zonder enkele houvast. Maar er was geen weg terug.

Hij dwong haar te denken zoals hij dacht dat goed voor haar was. Binnen het jaar werd een stamhouder geboren: Jasper, vernoemd naar zijn vader en volgens zíjn wil. Jasper Jongkees, een man die alles neemt en niets geeft, maar het was haar erfdeel dat hem tot de man gemaakt heeft die hij nu is. Een man van aanzien met een renderend bedrijf dat vele monden voedt. En het moet gezegd: Jasper is goed voor haar en voor hun zoon Jasper. Het kind is precies zijn vader: het ovale gezicht met de hoge jukbeenderen, de blonde haardos, dezelfde oogopslag. Alleen de uitdrukking is milder, niet dat felle erin als van zijn vader. Jasper junior adoreert zijn vader, en Jasper senior draagt zijn zoon op handen. Niets is te mooi en te goed voor het kind. Hij brengt altijd wat mee: een meccanodoos, een voetbal, een waterpistool waar hij tot haar grote ergernis alles mee natspuit. Vorige week kreeg hij een paar rolschaatsen. Prompt pakte ze ze af en borg ze op in de kast. Zich tot haar man wendend zei ze: 'Daar is hij nog te jong voor, hij zou zijn benen breken.'

Maar Jasper begon te blèren en Jasper zei haar: 'Kom, kom, overdrijf je niet een beetje? Hij is niet van porselein.' Jasper pakte de rolschaatsen weer uit de kast, bond ze Jasper onder en commandeerde: 'Rijen, vertoon je kunsten.'

De jongen sloeg zijn benen uit, zwaaide heen en weer en zocht steun tegen de muur. Jasper moedigde hem lachend aan: 'Vooruit, los die muur, ben jij nu een kerel.' En tegen haar: 'Kijk eens naar je zoon, mama.'

Ze keek niet, een moedeloos gevoel overvleugelde haar. Als man en vrouw trekken ze niet één lijn tegenover het kind. Jasper zet haar tegenover de jongen altijd op de tweede plaats. Hij ziet haar altijd als gedweeë onderdaan van zijn bezit. Tranen sprongen in haar ogen, ze keerde hen haar rug toe, waarop Jasper haar nariep: 'Wat zijn dat voor rare kuren? Stel je geen belang meer in het kind?'

Ze zucht als ze daar weer aan terug denkt, huivert. Het is een groot huis, maar wel met de kamers op het noorden. Alleen 's morgens vroeg heeft het wat zonlicht, de rest van de dag zijn de vertrekken kil en klam. Vanaf de dag dat ze hier wonen, brandt de gaskachel op een laag pitje.

Ze staat op, trekt het vest wat vaster om zich heen en zet de kachel op een hogere stand. Vlammetjes dansen achter het glas. Af en toe schiet een vlammetje naar omhoog alsof-ie zijn tongetje tegen haar uitsteekt. Ze kijkt op de klok: acht uur. Jasper is vandaag op stap met een zakenrelatie. 'Mocht het vanavond laat worden, wacht niet op mij, duik erin.'

Jasper was altijd druk, nooit had hij tijd. Alles moet wijken voor de rokerij. Zelfs op zondag zit hij achter zijn bureau, en als ze eens een enkele keer daar iets van zegt is het van: 'Het komt me niet aanwaaien, en vergeet niet: ik geef dertig gezinnen te eten. Ik heb liever niet dat je me onder mijn werk stoort, onthoud dat eens.'

Hun samenzijn is meestal in bed. Daar eist hij haar geheel voor zich op, zo verzengend als zijn vurig temperament van een vrouw verlangt. Maar haar passieloze natuur deinst daarvoor terug en ze ondergaat het gelaten. Hij voelt haar weerzin en dat slaat hem en hij grauwt: 'Beteken ik dan helemaal niets voor je?'

Haar antwoord: 'Niet zo, dat weet je wel.'

Hij richt zijn hoofd op van het kussen, kijkt haar aan: 'Hoe dan, Jeanne, zeg het me maar.'

O, vanaf het begin heeft ze het geweten: hij wilde haar binden op zíjn wijze, zij hém op de hare, in een intiem huiselijk leven van man en vrouw, het vertrouwelijk innerlijk opgaan in elkaars verlangen, waarin het bed delen een prettige bijkomstigheid is. Het mocht niet zo zijn, en ze wist niet anders te zeggen dan: 'Laten we maar gaan slapen, voor jou is het morgen weer vroeg dag.'

Vroeg. Haar gedachten haken zich eraan vast. De laatste tijd maakt Jasper erg lange dagen. Voor dag en dauw is hij op en 's avonds laat pas thuis. Vorige week was het zelfs dik over één uur toen ze hem de sleutel in het slot hoorde steken. Ze was hem tegemoet gelopen in de gang, maar voor zij iets kon vragen verontschuldigde hij zich: 'Nee, nee, vraag of zeg maar niets, ik kom rechtstreeks van kantoor.'

'Zo laat?' Het viel haar op dat Jasper zijn goede pak aan had.

'Zaken, meisje, zaken.' Hij liep haar voor naar de huiskamer, viel in een crapaud neer, streek met zijn hand door zijn haar en mompelde: 'De heren worden lastig.'

'Hoezo heren?' Liep Jasper weer met plannen rond waar zij niets van mocht weten?

Daar had je het al. 'Jeanne, als het zover is, laat ik je het weten. En doe me een lol, zaag er niet over door, schenk me liever een kop thee.'

'Thee?' vroeg ze verbaasd. 'Om één uur in de nacht?'

'Schenk dan maar een borrel.' Hij leunde achterover en vertelde over zijn werk. Maar het ging bij haar het ene oor in, het andere uit. Ze zag zijn ogen en begreep dat het voor hem een sport was haar te doen geloven wat hij beweerde.

Hoe laat zal het vandaag weer worden? Waar blijft hij toch, weer zo lang op het kantoor? Haar handen krampen. Jasper gaat zijn eigen weg, vraagt nooit naar haar mening, schuift haar altijd opzij. In de duistere kamer valt het licht van de buitenlantaarn. Het is of ze de spot hoort fluisteren om haar eigen eenzaamheid. Ze staat op en loopt naar de gang, waar Jasper speelt met zijn autootjes. Daar, in het opgestoken licht in de gang, is het of de eenzaamheid van haar afvalt. Ze legt haar hand op de schouder van haar zoon: 'Kom je bij mama in de kamer zitten, Jasper?'

'Waarom?'

'Samen uitkijken.'

'Waarnaar?'

'Of papa komt.'

'Papa komt toch altijd?'

'Ja lieverd, maar het wordt al zo laat.'

Hij trekt grappige denkrimpels in zijn voorhoofd: 'Papa werkt heel hard.'

'Wie zegt dat?'

'Papa, dat weet mama toch wel?'

Zegt Jasper dat? Ze twijfelt en begraaft die twijfel in haar antwoord. 'Misschien...' Juist door die twijfel laat ze zich verleiden tot een onredelijk verwijt tegen de jongen, en ze stroeft: 'Hè, al die rommel in de gang. Ruim dat eerst maar eens op, Jasper.'

Ze schrikt zelf van de toon waarop ze het zegt. Vlug voegt ze eraan toe: 'Mama zal je even helpen.'

'Nee.' Narrig duwt hij haar hand weg.

Ze kijkt toe hoe hij zijn speelgoedautootjes heel voorzichtig, alsof hij bang is ze te beschadigen, in een doos wegzet. Opeens hoort ze in gedachten haar man weer die hun zoon vraagt: 'Wat wil je later worden, knul?'

'Chauffeur,' was het blijde antwoord.

'Chauffeur?' Jasper schudde zijn hoofd: 'Ik denk het niet, zoon.' Dodelijk sip keek het kind naar zijn vader: 'Waarom niet?'

'Omdat, omdat...' Jasper zoekt naar een passend antwoord. Hij kwam er zo gauw niet uit en zei dan kortaf: 'Ik heb met jou heel andere plannen.'

'Klaar.'

'Mooi.' Ze pakt zijn hand. 'Dan wachten we samen op papa. Hier,' en ze wijst op het bankje. 'Kom maar naast me zitten.'

'Ja, mama.' Hij zit, pulkend aan zijn trui, en haar gedachten zweven weer naar haar man. Zakenrelaties, of een liefje? Ze schrikt van haar eigen gedachten, daar ziet ze hem niet voor aan. Jasper met zijn kille vriendelijkheid, die zich alleen inzet voor de rokerij, zo erg zelfs dat ze hem laatst smalend vroeg: 'Bestaat er voor jou ook nog iets anders op de wereld?'

'Jawel,' antwoordde hij. 'Mijn vrouw en mijn zoon.' Het klonk zelfbewust en vertrouwd, maar in haar hopeloze verwarring keek ze hem bevangen aan. Hij legde zijn stevige hand op de hare en plaagde lachend: 'Toe, toe, je kijkt of het huis boven je hoofd instort.'

'Ik weet niet wat ik ervan moet denken.'

Hij boog zich naar haar over, drukte een kus op haar wang:

'Laat het denken maar aan mij over, kind. Als ik er toch niet was om je te beschermen.'

Beschermen, hij haar? Houdt ze eigenlijk wel van hem? Heeft ze ooit oprecht van hem gehouden? Of hij van haar? Ze hebben een kind, een zoon. Dat schept een band, dat houdt hen samen. Ze kan evenmin buiten hem. Altijd is in haar de angst 'dat hem maar niets overkomt, anders kom ik voor alles alleen te staan'.

'Mama.' Jaspers stem brengt haar weer tot de realiteit terug.

'Ja, wat is er?'

'Waar zijn de vogeltjes?'

'Die slapen.' Ze luistert scherp, hoort ze daar voetstappen?

'Waar slapen ze?'

'Vogeltjes slapen in hun nestjes in de bomen.' Nee, toch geen voetstappen, waar blijft Jasper toch?

'Alle vogels, mama?'

'Alle vogels.'

Jasper staat op, loopt naar het raam en drukt zijn neus tegen het glas: 'Nietwaar, mama, daar vliegt er één.'

Ze denkt 'een uil', maar gaat op zijn praat niet in.

Jasper, opeens ongeduldig, geeft een trap tegen de wand: 'Waarom zegt u niks?'

Ze schrikt op, pijnlijk aangedaan door de boze stem van de jongen.

'U luistert niet naar me. Papa luistert altijd.' Hij hangt verveeld tegen de vensterbank.

'Ik luister wel,' verdedigt ze zich geduldig.

'Nietes, en u zegt helemaal niks.' Hoog snerpt de jongensstem van ergernis.

'Wat vroeg je dan?'

'Ziet u wel dat u niet luistert.'

'Ik denk een uil, Jasper.' Het kind wendt zich wrevelig af, vraagt niet meer, staart uit het raam.

En zij, bewegingloos, kijkt naar de jongen. Ze begrijpt zijn reactie, het is een teleurstelling voor hem. Maar ze kan niet praten, haar gedachten omcirkelen haar man: waar is hij, wat doet hij... Steeds later komt hij thuis.

'Daar is papa!' Autolichten op de oprijlaan en Jasper holt de kamer uit. Hij staat juichend bij de voordeur. De sleutel knerpt in het slot en een lachende mannenstem klinkt: 'Zo, kleine stamhouder.'

Ze hoort hun druk pratende en lachende stemmen. Ze komt snel overeind van haar stoel, weg bij het raam, hij hoeft niet te weten dat zij samen met Jasper... Vlug schuift ze haar crapaudje bij de haard, huivert opeens van kou, zet de haard een graadje hoger. Met een harde slag zwaait de kamerdeur open. Jasper rent lachend naar binnen: 'Mama, daar is papa.' Ze krimpt in elkaar, fronst driftig haar wenkbrauwen, kijkt met boze ogen naar de jongen, valt scherp uit: 'Kan het niet wat zachter met die deur, dat doet maar.'

Stomverbaasd kijkt het kind haar aan. Zijn moeder blaft hem nooit zo af, en nu opeens... Hij loopt de kamer uit en Jasper zegt geërgerd: 'Moet dat nu zo, Jeanne? Dat kind is gewoon blij.'

'Dat spreek ik niet tegen, maar ik wil niet dat hij met de deur gooit. Hoor je, ik wil dat niet.'

Hij ziet haar bleek weggetrokken gezicht, de rode zenuwvlekjes onder de ogen. Hij begrijpt: de jongen is de zondebok, daar reageert ze zich op af, maar de ware schuld ligt bij hem. De laatste weken komt hij steeds later thuis. Jawel, met het excuus dat het druk is op het kantoor, maar dat niet alleen. Er is meer aan de hand, en haar vrouwelijke intuïtie zegt haar dat. Hij wil er ook niet langer omheen draaien, maar haar alles eerlijk vertellen, daar heeft ze recht op. Maar hij weet niet goed hoe haar dat te zeggen. Hij wil haar zo min mogelijk pijn doen. Zij is de moeder van zijn zoon. Hij sust: 'We zullen het Jasper wel afleren.'

Zij heeft het gevoel dat hij met dat antwoord haar alles uit handen slaat. Ze zegt: 'Ik heb net thee gezet, wil je een kopje?'

'Graag.' Hij zet zich neer in de crapaud tegenover haar, neemt haar scherp op. Jeanne is in haar kleding en manieren op en top een dame. Heel anders dan wijlen haar vader. Munsters met zijn uitgekookte streken en averechtse lievigheid. Maar Jeanne nam een bonk geld mee, waarover Jasper zich nog altijd kan verheugen.

'Is dat die nieuwe japon die je gekocht hebt?' Ja, hij moet toch wat zeggen. Jeanne is nooit zo spraakzaam, soms moet ie de woorden uit haar mond trekken.

Ze knikt: 'Een wonder dat je dat ziet.'

Hij buigt zich naar haar toe en glimlacht: 'Ik zie jou toch altijd, Jeanne.'

Ze weet niet anders te zeggen dan: 'Wil je suiker in je thee?'

'Lieve kind, dat weet je toch. Wat, nee, één schepje.'

'Hier, je thee.' Ze reikt hem zijn kopje. Langzaam, alsof ze vermoeid is, gaat ze tegenover hem zitten. Er is veel onrust in haar; Jasper is de laatste weken werkelijk steeds later thuis.

'Was het druk op het kantoor?'

Het kantoor en de drukte. Hij weet beter, hij hoort de vraag erachter wel. Jasper leunt achterover, gaat op haar vraag niet in, maar zegt: 'Vertel eens, hoe hebben Jasper en jij de dag doorgebracht?'

'Vertellen, hoe ik en Jasper? Gewoon, als altijd. Maar vertel jij eens.'

Juist, vertellen, zo eventjes tussen neus en lippen door, alsof het zo makkelijk lag. Toch pakt hij haar hand en zegt: 'Ik moet met je praten, Jeanne.'

'Nu?' Haar hand beeft in de zijne. 'Wat staat haar te wachten?'

'Ja, nu.'

Angst vlijmt door haar heen. Zachtjes zegt ze: 'Ik luister.'

Hij begint te vertellen over zijn jeugd, zijn schooltijd, zijn omgang met de kinderen van de familie Lanting. Vooral met Truida, de oudste dochter van het gezin, dat ze verliefd waren op elkaar, stiekem stonden te zoenen in het schemerig schuurtje, waar de potten stonden met zure sardien en gebakken panharing. Een kinderliefde, dat moet ze begrijpen. Maar af en toe hapert hij, weet in nerveuze ontreddering niet de juiste woorden te kiezen. Midden in een zin houdt hij opeens zijn mond, springt overeind, loopt gejaagd heen en weer, blijft dan voor haar staan en zegt: 'Maanden geleden kwam ik haar weer tegen, we botsten onverwachts tegen elkaar. Ik... zij... Lieve Jeanne, moet ik je nog meer uitleggen?' Als lood zinkt het schuldgevoel tegenover zijn vrouw in zijn ziel. Zachtjes voegt hij eraan toe: 'Maak je geen zorgen, tussen jou en mij is er van scheiden geen sprake.'

Dus toch een andere vrouw. En zij maar denken: 'Tot zoiets is Jasper niet in staat.' Hij is vergeten dat hij eens tegen haar zei: 'Ik wil geen andere vrouw'. Ze voelt verbittering. Mannen, zo groot in hun fantasie en zo klein in hun dagelijkse menselijkheid. Verblind in hun extase, en dof als de verrukking is geweken. Zij, Jeanne, heeft deze gevoelens nooit in hem weten te wekken. En het moest dus Truida Lanting zijn, wier kinderkus hij nooit is vergeten. Truida Lanting, die Jaspers pad weer gekruist heeft. Mooier, opener, onbevangen en vriendschappelijk. Truida Lanting heeft Jaspers hart in vuur en vlam gezet, en voor haar, Jeanne, rest de verschrikkelijke vernedering. Dat weten doorvlamt haar als een scherpe pijn. Maar ze moet dapper zijn, hij mag niet zien hoe zij onder zijn bekentenis lijdt. Ze weet al haar wilskracht op te brengen en zegt op rustige toon: 'En hoe moet het nu verder tussen ons?'

'Zoals ik al zei, van scheiding is geen sprake. Dat weet ze.'

Zo, dus dat weet ze. Maar of dat haar – Jeanne – verlichting geeft? Ze vat moed, kijkt haar man recht in de ogen en vraagt: 'Wees eens eerlijk, ben je met haar naar bed geweest?'

De vraag overvalt hem. Maar omdat hij op haar gezicht geen enkele uitdrukking kan lezen, vraagt hij zich af: Draagt ze zo makkelijk wat ik haar vertel? Hij zegt: 'Als ik op je vraag inga, zijn we dan dichter of verder van huis?'

'Dus het is ja,' zegt ze zacht. Ze moet al haar kracht aanwenden om haar tranen te bedwingen.

En hij denkt verwonderd: Ze zegt het zo kalm alsof ze alles

wat ik tegen haar zeg in een paar minuten verwerkt, en gereed is alles op te geven zonder te klagen. Ach, de liefde tussen hen heeft nooit zo diep geworteld, maar toch...

Opnieuw dringt ze aan: 'Nou, zeg het eens.'

Haar kalme manier van praten brengt rust in hem, al gaat het gesprek hem toch moeilijker af dan hij dacht. Hij herhaalt: 'Ze weet dat ik niet van je wil scheiden.'

'Ja dus.' Het dringt tot haar door. 'Ze verwacht een kind van je.'

Een kort bitter lachje: 'Als je het dan weten wilt, ja.'

'Zo is het dus, Jasper.' Jasper, die door een andere vrouw werd bekoord. Het is geen slechte vrouw, die Truida Lanting. Ieder die haar kent, heeft haar hoog. De schuld valt geheel op Jasper zelf. Een weten dat haar doet duizelen, haar als het ware door een doolhof doet lopen waarin ze de weg niet terugvindt. Jasper opent met zijn bekentenis alleen nieuwe doolpaden voor Jeanne, die op niets uitlopen. Weer vraagt ze: 'Hoe met het nu verder tussen ons, en de jongen?'

Er gaat een schok door hem heen. De jongen aan wie hij net als zij vasthoudt, hun kind dat hem boven alles gaat, meer nog dan de firma en de moeder. Hij stroeft: 'Hoeveel maal moet ik je het nog zeggen: van scheiden tussen ons is geen sprake, dus wat Jasper betreft hoef je je geen zorgen te maken.'

'O.' Haar handen krampen in haar schoot. Dus geen scheiding, al is ze voor hem intussen niet meer dan 'de vrouw op de achtergrond'. Al houdt ze zich groot, in haar hart voelt ze zich klein en gebroken. Ook de vrees dat de buitenwereld dit te weten komt... het maakt de schande des te groter. Ze zegt: 'Al cijfer ik mezelf dan weg, toch vraag ik me af: heb je aan je zoon gedacht voor je aan dit avontuur begon?'

Verrast kijkt hij haar aan. Hij verwachtte alleen koele verwijten, maar dit 'heb je aan je zoon gedacht' overvalt hem. Hij gaat op haar vraag in: 'Ik denk altijd aan de jongen en ook aan jou, da's ook de reden dat ik niet wil scheiden.'

'En ik moet dat geloven?'

'Ik zeg je de waarheid, Jeanne.'

Onzeker ontwijkt ze zijn blik. Het is waar, nooit eerder heeft hij haar belogen of bedrogen. Dat heeft haar in hun feitelijk liefdeloze huwelijk op de been gehouden. Maar toch, die felle wrok waarmee de naam van Truida Lanting nu gepaard gaat, zal als een herinnering tussen haar en Jasper blijven hangen. Opeens valt uit haar mond: 'En als ík wil scheiden?'

'Je bedoelt?' Strak kijkt hij haar aan en vraagt zich verwonderd af: Zit er meer moed in Jeanne dan dat hij tot nu toe dacht?

'Zoals ik het zeg.' Ze huivert, is ze in haar bravour te ver gegaan? Als hij nu ja zegt, wat dan?

Er valt een stilte tussen hen. Jasper schijnt na te denken, springt weer overeind, ijsbeert heen en weer, blijft een poosje voor het raam staan, keert op zijn schreden terug, legt zijn hand op haar schouder en zegt met nadruk: 'Als jij dat dwaze plan wilt doorzetten, leg ik je niets in de weg. Maar je moet heel goed nadenken voor dat je daartoe besluit, Jeanne. Als bij een eventuele scheiding Jasper aan jou wordt toegewezen, zul jij hem dan in de toekomst het gemis van een vader kunnen vergoeden?'

'Misschien.' Hij tovert een levendig beeld voor ogen. Er is er voor Jasper maar één: zijn vader.

'Misschien ook niet, Jeanne,' gaat hij er rustig op door, 'maar dat is wel iets wat je vooruit goed moet bedenken.'

'Bedenken, ik weet niet meer wat ik denken moet. Jij en ik...' Plots overvalt haar een drukkende moedeloosheid. Ze kijkt hem aan. Een vale blos glijdt over haar gezicht. Voelt ze toch een sprankje jaloezie? Ze zegt: 'Hoe denk je dat mijn leven naast het jouwe is geweest?'

'Ik geef het toe, niet veel.' Hij zucht en gaat er verbitterd op door: 'En soms in het streven naar meer, worstel ik met het gevoel of ik alles op eigen kaart heb gezet, en nu aan de verliezende hand ben.'

'Truida Lanting?'

Hij knikt: 'Wie anders. Ik weet het, het is dom, maar het is sterker dan ikzelf ben.'

'En ik dan?' Het klinkt als een noodkreet: 'Ik heb alleen maar jou.'

'En de jongen.'

'Die houdt met hart en ziel van zijn vader.'

Hij sust: 'Het is nog een kind,' en vergoelijkt: 'dat verandert wel naarmate hij ouder wordt.'

'Dat moet ik nog zien.' O, al deze gevoelens van hoop, vrees, angst en twijfel waarin ze al leefde, en nu ook nog Truida Lanting. Ze wil het uitdenken, maar het lukt niet. Met moeite brengt ze uit: 'Houdt ze veel van je?'

Nors zegt hij: 'Laten we erover ophouden, wil je?'

Ze houdt vol: 'Ik wil het weten.'

'Je weet het nu. Meer valt er niet over te vertellen.'

Hij weet dat hij die korte tijd met Truida van zijn leven niet zal vergeten. Het is een liefde zo groot, maar die hem tegelijk met ijzeren vuist had neergeduwd. Het had hem een knauw gegeven in de zekerheid van zijn huwelijk met Jeanne. Truida, dat gewone volkskind. In zijn hart was hij haar nooit vergeten. Truida, die na jaren plotseling voor hem stond, als een jonge volwassen vrouw. Het was een weerzien na jaren dat hem op zijn benen deed trillen. Niet door haar opvallende blonde schoonheid, haar lachende oogopslag, haar intelligente woorden. Het was haar warme vrouwelijkheid die hem overviel, hem wezenloos maakte, zijn hart met zware slagen deed kloppen. Al wat in zijn leven van betekenis was, zakte weg: de rokerij, zijn vrouw, zijn kind. Truida Lanting was de oprechte waarheid van zijn leven, waar heel zijn hart zich aan hechtte en volledig openbaarde in de gestolen momenten die ze samen doorbrachten, in een gehuurde kamer in de stad.

Uren vol van verrukking, waarin hij haar kuste en streelde, haar in de glanzende ogen keek en zei: 'Hoe komt het toch dat je zoveel van me houdt? Nog wel een getrouwde vent.'

Haar wedervraag was: 'En hoe komt het dat jij zoveel van mij houdt, Jasper Jongkees?'

'Da's altijd zo geweest, vanaf de tijd dat we nog kinderen waren.'

'Hoeveel dan?'

Hij streelde haar wangen: 'Alles.'

'En toch trouwde je met Jeanne Munsters.'

'Da's waar, maar het zegt niet veel.'

Ze drong aan: 'Wat bedoel je daarmee?'

Hij boog het hoofd: 'Zie het meer als een handelsovereenkomst.'

'Tussen jou en Munsters?'

'Zoiets ja.'

Ze ging er niet op door. Hij begreep dat de waarheid voor haar duidelijk genoeg was. Toch voelde hij behoefte zichzelf te verdedigen, een beroep op haar te doen om dit te begrijpen, want in haar wijdopen ogen die hem vol aankeken las hij een bedroefde en verwijtende blik. Onrust bekroop hem. Nu Truida dit alles wist, zou ze in vrouwelijke eensgezindheid voor Jeanne kiezen en zou hij de boze boeman zijn. Lange tijd had ze gezwegen, alsof ze over alles dieper na moest denken. Toen vroeg ze: 'En Jeanne wist het?'

Voor het eerst voelde hij iets van berouw. Hij haalde zijn schouders op: 'Ik denk het wel.' In zwak verweer voegde hij er aan toe: 'We hebben toch een zoon.'

'Dat zegt niks, kindertjes komen er toch wel.'

Hij voelt zich rood worden tot achter zijn oren. Truida Lanting zag scherp. Hij had Jeanne gedwongen hem ter wille te zijn. Al voelde hij haar tegenstand, toch onderwierp ze zich en binnen het jaar werd zijn zoon geboren, Jasper junior. Een opgedrongen kind, dát wel.

Hij wilde zich tegenover Truida verdedigen en haastig zei hij: 'We zijn allebei blij met de jongen,' maar hoe zwak klonk hem die bekentenis in zijn eigen oren.

Haar scherpe antwoord was dan ook: 'Mis, je bent blij met een stamhouder, en de rokerij en in mindere mate met je huwelijk. Want daar deed je het toch voor, Jasper Jongkees? Zeg eens dat ik lieg.'

Haar woorden dreven hem tot wanhoop en voor het eerst stond hij alleen tegenover de aanklacht van zijn ontsteld geweten, en prevelde: 'Hoe het ook tussen ons loopt, van Jeanne zal ik nooit scheiden.'

Lachend roefelde ze met haar hand door zijn haren: 'En ik zal jou dat nooit vragen.'

Truida, was er een mooier en liever wezen op aarde dan zij? Hij lag diep verstrikt in de bekoring van hun liefde. De wrok over zijn eigen huwelijksleven deed hem op de werkvloer soms onredelijk tegen het werkvolk uitvallen. Maar opeens stond ze voor hem, op een avond, heel rustig. Ze keek hem aan en zei heel gewoontjes: 'Jasper, ik ben zwanger.'

Het was alsof hij een hauw tegen zijn hoofd kreeg. Het bloed gonsde in zijn oren en stamelde: 'Van mij?'

'Van wie anders?'

Ja, van wie anders dan van hem, Jasper Jongkees, die zijn boekje te buiten was gegaan. Uren van machteloze bekoring en verrukking waarin zijn wil wegsmolt. Truida was zijn leven, zijn liefde, hij was verslaafd aan haar, kon en wilde haar niet meer missen. Hij vocht met zijn ontroering, Truida die zíjn kind draagt, een kind dat nooit zijn naam zal dragen. Ze legde haar hand op zijn arm en zei: 'Ik ga hier weg.'

Verschrikt had hij haar aangekeken: 'Ik kan je niet missen.'

'Je bent een getrouwd man, Jasper.'

'Nou en?'

'Denk aan je naam, Jasper.'

Een bitter lachje plooide zijn mond. 'Daar hadden we eerder aan moeten denken, nietwaar? En mijn naam, dat kan me geen bliksem schelen.'

'Jou niet, mij wel. En denk eens aan Jeanne.'

Hij heeft het gevoel of Truida met wat ze daar zegt hem aanklaagt. Somber zei hij: 'Het is alles mijn schuld.'

'En ook de mijne. Dit had nooit mogen gebeuren, voor ons allebei niet.'

Ons allebei, de woorden echoën na in zijn hart, laten niet los. Hij beseft: een liefde op zonde geënt, wat bloeit daaruit voort? Tranen zag hij in haar ogen, hij trok haar tegen zich aan en ze leunde met haar hoofd tegen zijn schouder.
'Het is zo vreselijk.'
Zacht streelde hij haar haren en troostte: 'Waarom Truida? Niemand hoeft de waarheid te weten en vanzelfsprekend zal ik je in alles financieel steunen.'
Verwonderd keek ze hem aan, streek lichtelijk verward door zijn haren en zei: 'Jij praat over geld. Ik denk aan Jeanne, en het leed dat wij haar samen aandoen.'
Hij voelde zich gejaagd en prikkelbaar dat ze zo tegen hem sprak, dat ze op dit voor hen zo kritieke moment Jeanne belangrijker vond dan zichzelf. Wrevelig liet hij haar los, al spelend met de gedachte: Wie raadt het innerlijk van een vrouw. Jeanne, hij had haar neerslachtig noch ongelukkig gezien, maar gelukkig evenmin. Jeanne leeft voor de jongen, gaat altijd stilletjes door het huis en schikt zich naar zijn wil. En Truida die zonder hem nog één keer te zien opeens was vertrokken, hem in onwetendheid achterlatend. Toen kwam de brief waarin ze schreef, dat het beter was elkaar niet meer terug te zien, zijn plaats was naast Jeanne. Over zichzelf repte ze met geen woord. Dagen van zelfkwelling volgden, waar hij doorheen moest, tot hij uiteindelijk begreep: Truida heeft gelijk. Zijn plaats is naast Jeanne, die zwijgend zijn humeurigheid doorstaat en verdraagt.

Hij hoort nu Jeanne, onbevreesd voor eigen pijn, hem het vuur na aan de schenen leggen, doordat ze zachtjes herhaalt hij wat haar bezwoor: 'Maak je geen zorgen, alles blijft tussen ons zoals het is.'
Ze knikt en vraagt: 'En zij?'
Hij antwoordt niet direct, maar zegt even later met Truida's beeld voor ogen: 'Zij wil het zo.'
'En jij gehoorzaamt haar.' Er klinkt geen bitterheid in door, wel klinkt haar stem moe en droef.

Hij knikt: 'We blijven bij elkaar. Gerustgesteld?'
In haar daalt een diepe tevredenheid. Haar lakse natuur doet haar op verstandige wijze de situatie dulden zoals ze nu is. Heel gewoontjes vraagt ze nu: 'Wil je nog thee?'
Hij knikt: 'Doe maar.'
Ze schenkt thee in en denkt: Wat er zich ook voordoet, Jasper beschouwt alles vanuit zijn eigen standpunt. Maar wat er ook tussen ons voorvalt, als zijn vrouw heb ik de plicht voor hem te zorgen.
Jasper zit te worstelen met een hart vol pijn waarin gevoelens van grote vertwijfeling de kop opsteken. Hij denkt: 'Ondanks mijn liefde voor Truida is een goed gefortuneerd huwelijk het enige dat voor mij telt. Al is het dan ook met een vrouw als Jeanne. Truida weet dat, misschien dat ze daarom...'
'Suiker?'
'Eén schepje.' Hij ziet haar gezicht opglimmen in het schemerlicht. Het is een lief, zacht gezicht, getekend door droeve trekken. Plots speelt hij met de gedachte: 'Een tweede kind, daar kan ze zich in haar verlangen aan vastklampen, zo'n kleintje dat van haar alleen is. Misschien dat dat haar teleurstelling over hem verzacht. Impulsief valt het uit zijn mond: 'Een tweede kind, misschien dat dat tussen ons...'
'Een wat?' Onthutst kijkt ze hem aan, en dan te weten dat die andere vrouw ook van hem... Wat is dat voor een moraal? Kalm zegt ze: 'Een tweede kind als losgeld voor jouw daad? Nee, dank je.'
En Jasper begint weer te praten, opgewonden, soms opgeschroefd vrolijk en soms onsamenhangend, en al dat gepraat is een marteling voor haar, verscheurt haar hart en ze vraagt zich af: Probeert hij op die manier haar verdriet naar de achtergrond te praten? Hij springt overeind van zijn stoel, knielt voor haar neer, pakt haar handen, drukt ze tegen zijn verhit gezicht en zegt: 'Ik begrijp je pijn, Jeanne. Vergeef me alsjeblieft.'
Dat is voor het eerst, denkt ze, dat hij zich in ons huwelijk

vernedert tot een excuus. Ze zou hem wel willen toe-
schreeuwen: 'Houd erover op, kwel me niet langer'. Wat zegt
hij nu?

'Alsjeblieft, Jeanne, kun je erover heen stappen? Ik verzeker
je, ik zal je alles uitleggen.'

Uitleggen? Het feit ligt er nu eenmaal. Plotseling ziet ze de
diepe groeven langs zijn neus en de mondhoeken, de blauwe
kringen onder zijn ogen. Het is niet meer dat onbezorgde
gezicht van voorheen. De nasleep van zijn romance met
Truida laat er zijn sporen op achter. Een matte moedeloosheid valt over haar heen, ze kan geen enkele gedachte meer
uitdenken. Gesmoord klinkt het: 'Ik vergeef het je.'

'Dank je, Jeanne.' Hij drukt een kus op haar wang.
Makkelijker dan hij dacht schenkt ze hem vergiffenis. Jeanne
is de kwaadste niet.

Maar Jeanne – wier vingers krampachtig de stoelleuning
omklemmen – denkt opeens in lotsverbondenheid aan de
vrouw die nu van Jasper met een dikke buik loopt en vraagt:
'Hoe is het nu met haar?'

Hij begrijpt dat ze Truida bedoelt. Hoewel de innerlijke
kracht van zijn overtuiging wankelt, zegt hij: 'Financieel zal
ze niets tekortkomen.'

'En daar houd je je aan.'

'Ik zal wel moeten.' Truida, zijn hart voelt beurs om haar.

'Zeg me eens eerlijk, om jouw naam, of om haar eer?'

'Beide, maar het meest om Jasper.'

Niet om mij dus, denkt ze. Maar om Jasper, de toekomstige
eigenaar van de rokerij. Dat is iets wat ze al weet vanaf het
begin van haar huwelijk. En het kind dat Truida draagt, 'de
bastaard' van Jasper Jongkees?

Ze komt knipperend met haar ogen uit haar stoel overeind,
kijkt hem aan en zegt: 'Ik heb barstende hoofdpijn. Ik ga naar
bed, zorg jij voor Jasper?'

Hij ziet haar wit-weggetrokken gezicht. Dat schokt hem. Hij
zegt gauw: 'Ga maar, ik verzorg de jongen wel.'

'Welterusten, Jasper.' Ze kijkt langs hem heen.

'Welterusten, Jeanne.' Hij probeert haar hand te pakken, maar ze ontwijkt hem. Het eerste ochtendlicht schemert al in de kamer als hij nog opzit, piekerend. Voor het eerst van zijn leven begrijpt hij iets van zijn vrouw.

HOOFDSTUK 5

Hannes Lanting is op weg naar de rokerij. Zijn hart is zwaar en hij heeft de kop vol zorg. De wind joelt om hem heen. Kille regendruppels slaan in zijn gezicht, ze koelen de verhitte gedachten wat af. Want dat was me even een herrie geweest, vlak voor hij het huis uit ging. Bets stond erop dat hij op staande voet zijn ontslag nam bij Jongkees. Met Bets viel geen verstandig woord meer te praten, nu Truida in haar vrije weekend thuis zo even tussen neus en lippen door vertelde dat ze zwanger was van Jasper Jongkees. Voor hem en Bets stortte de wereld in elkaar toen Truida hen dat 'nieuws' vertelde. Zelf was ze er kalm en rustig onder, alsof ze het zelf al verwerkt had en gereed was alles op te geven wat ze in haar leven bereikt had.

Bets vond van hun tweeën als eerste haar spraak terug. Meer verwonderd dan kwaad zei ze: 'En dat vertel je ons zomaar.' Truida knikte: 'Wat moet ik anders, het feit ligt er.'

'Het feit ligt er,' herhaalde Bets, die met grote ogen naar Truida zat te staren. Opeens sloeg de vlam in de pan, Bets begon te razen en te tieren. Het aureool dat ze door de jaren heen Truida aangemeten had brak in stukken, en de scherpe splinters sneden diep in haar ziel. Bets zag haar dochter opeens in een heel ander licht: een meid die zich vergaloppeerd heeft, het had gedaan met een getrouwde kerel. En nu moest ze een kind krijgen van Jasper Jongkees, die zijn eigen vrouw behandelde als een voetveeg. Maar het ergst van alles, de verfoeilijke zonde die ze beiden hadden begaan, scheen Truida niet te drukken.

Ook hem stak het verdriet. Hij voelde zich diep bezeerd door deze situatie. Maar anders dan bij Bets spraken zijn vaderlijke gevoelens. In zijn ogen was Truida de sterkste van hun drieën. Als je dacht dat ze het zou uitschreeuwen van narigheid – dat zou Hannes zelf het liefst doen – heb je het mis. Ze zei: 'Waar maken jullie je druk om? Het kind komt heus wel groot.'

Bets, die stromen tranen vergoot, stoof meteen weer op: 'Dat is het niet alleen, het gaat ook om de schande. Eerst je broer, nou jij! Ik moet zeggen, dat ik veel plezier beleef aan mijn kinderen.' En opeens weer diep terneergeslagen, vroeg ze: 'Hoe moet het nu verder met je?'

Truida bleek haar plan al te hebben getrokken.

'Gewoon, ik beval in het ziekenhuis, en breng het kind bij Guurtje.'

'Wat?' Bets sprong op: 'Jij brengt...'

'Luit weet ervan.' Truida wierp daarmee olie op het vuur. Nu keerde Bets zich tot hem en kreeg Hannes de volle laag: 'Weet jij daar ook meer van, Hannes Lanting?'

Hij schudde zijn hoofd: 'Net zomin als jij.' Hij dacht bij zichzelf: De kinderen glippen tussen onze vingers door, we hebben er geen vat meer op. Alleen op Barendje, maar die leeft in zijn eigen wereldje, al is hij hun voortdurende zorg.

Bets, met saamgeknepen mond, bitste: 'Moet Guurtje het ook nog goed vinden.'

Guurtje had zelf geen gemakkelijke bevalling gehad, maar toen het kind er eenmaal was, was op slag alle pijn en leed vergeten. Het was een stevige meid van acht pond en werd vernoemd naar moeder Bets. De tijd gaat vlug, Betsy is alweer twee jaar. Guurtje is dol op die kleine en zou zo graag een tweede willen, een zoon voor Luit. Maar Luit, met de zware bevalling van Guurtje nog wel vers in het geheugen, zegt: 'Ik begin er niet meer aan, beulenwerk voor een vrouw, straks een kind in de wieg en de moeder in het graf. Vergeet het maar.'

In Guurtje knaagt de teleurstelling des te dieper, maar hoe ze ook bidt en smeekt, Luit houdt zijn poot stijf. Vorige week had hij het Bets toevertrouwd: 'We slapen niet meer naast elkaar, da's voor beide partijen beter.'

Bets begreep en vroeg niet verder. Ook Luit ging er niet op door.

Maar toch, Truida's kind straks bij Luit en Guurtje...

Er verschiet iets in Bets. Truida is straks moeder, een ongehuwde moeder, dat wel. Maar wat zei haar eigen moeder altijd: 'Hoe somber ook, altijd breekt de zon door, trekken de dampen op en ligt de weg weer open en klaar voor ons'. En met die gedachte in haar hoofd zei ze plots in volle overgave: 'Je mag het kind ook hier brengen.'

Wat? Was dat Bets die dat zei? De mond van Hannes viel open van verbazing. Die vrouw van hem, je krijgt er geen hoogte van. Eerst is het zus en nog geen tel later is het zo. Heel voorzichtig, want met Bets weet je het maar nooit, had hij gezegd: 'Zou je dat wel doen? Je huishouden, de winkel, en Barendje...' Ja, de winkel. Luit heeft goed geschoten, de zaken gaan goed. Sinds kort verkopen ze ook leverworst in het zuur, rolmops en gedroogde scharretjes. In het weekend komen ze handen tekort, want op Guurtje kunnen ze niet meer rekenen. Die heeft d'r handen vol aan die kleine, en sinds kort laat Mijntje het ook afweten. Haar enthousiasme is gezakt en ze zegt: 'Elk vrij weekend in de winkel, ik heb er tabak van, mij niet meer gezien.'

En nu zei Bets dit. Truida viel Hannes bij: 'Vader heeft gelijk, een baby is een hele oppas.'

'Toe, toe, je doet of je moeder een oud besje is.'

'Nee, maar zo jong bent u ook niet meer,' ging Truida er nuchter tegenin. 'En daarom gaat het naar Guurtje. Luit en ik hebben het vorige week zo besproken en we doen er Guurtje veel plezier mee.'

Bets draaide weer 180 graden om en wendde zich gepikeerd van Truida af. 'Ik merk het al, achter mijn rug om is alles bekonkeld en bekokstoofd.'

En ook hij zat met de situatie in z'n maag. Hij wilde Bets noch Truida afvallen, maar begreep dat het zou gaan zoals Truida zei. Als ze eenmaal met haar stille koppigheid een besluit had genomen, kwam ze er niet meer op terug. En vanochtend vlak voor hij de deur uitstapte was het weer hommeles. Bets stelde hem haar ultimatum en resoluut klonk het: 'Je zegt je baan bij Jongkees op.'

'Wat?' Hij hoorde het in Keulen donderen. Was dit Bets die

hem altijd voorhield 'Gooi geen oude schoenen weg voordat je...'? Hij schudde zijn hoofd en zei: 'Het mag wezen hoe het is, maar Jongkees is onze broodheer.'

Bets gaf geen krimp: 'We hebben de winkel en de verdiensten zijn goed.'

'Da's waar,' gaf hij toe. 'Maar te weinig voor twee huishoudens.'

'Luit is er ook nog.'

'Op zijn verdienste wil ik niet teren, ik heb ook mijn eer.'

Bets, rood van nijd en opwinding, was voor geen rede vatbaar en ging er heftig tegenin: 'Wat jij denkt kan me geen moer schelen, je gaat daar vandaan.'

Hij kribde: 'Mens, denk toch eens na. Waar moeten we dan van eten?'

'Al moeten we op kiezelstenen kauwen, je blijft daar geen minuut langer.'

Hij zuchtte en begreep dat Bets diep getroffen was in haar moedeeer. Op dit moment was er niks met haar te beginnen. Zachtjes zei hij: 'Is dat nu wel verstandige praat? Als ik doe wat jij zegt, waar vind ik dan op mijn leeftijd nog een andere baan, en voor dat salaris? En Jasper Jongkees is en blijft nog steeds onze broodheer.'

'En de vader van Truida's kind,' snerpte Bets, 'dat schijn jij te vergeten.'

Vergeten... nee, dat niet. Ook zijn wereld was ingestort, maar hoe moet hij dat Bets aan haar verstand brengen. Bets ging volledig op in eigen verdriet en snauwde hem toe: 'Verstandig of niet, je zegt je baantje bij die vuilak op.' Met een smak had ze de deur dichtgegooid, een ogenblik zag hij sterretjes. Welja, zijn baan opzeggen, waar zit het Bets?

En nu is hij dan op weg naar de rokerij en de woorden van Bets tetteren nog door zijn kop. Jawel, weg bij de rokerij, en dan? Daar weet Bets ook geen antwoord op. Hoewel hij nu op de inpakkerij werkt, heeft Jasper hem altijd zijn loon als meesterknecht laten behouden. Daar is hij hem tot op de dag van vandaag dankbaar voor. Maar dat met Truida is niet goed te praten van Jasper. Het brengt hém geen geluk, en voert Truida in de eenzaamheid. Ja, hij herinnert het zich wel, Jasper en Truida, als kinderen vrijden ze zo'n beetje in het schuurtje. Ach, hij tilde er niet zwaar aan. Wat waren het nou, snotneuzen allebei. Maar nu vraagt hij zich af: heeft toen het verlangen tussen die twee zich zo diep ingegraven, dat het nu als een borrelende bron aan de oppervlakte is gekomen?

Als hij de rokerij binnenstapt, schiet Riekelt op hem af. Breed staat hij voor hem: 'Of je effe op het kantoor komt...' Riekelt is intussen een treetje hoger in de rokerij gekomen, en een nieuwe blauw katoenen werkkiel omsluit zijn stoere schouders.

'Is er wat loos?' Onrust woelt in hem. Truida? Doet het gerucht nu al de ronde? Riekelt komt een stapje dichterbij: 'Dat zul jij beter weten dan ik.'

Hij haalt zijn schouders op: 'Ik zou het niet weten.'

Een spottend lachje: 'Maak je maar geen zorgen, daar weten ze het wel.'

Zorgen? Riekelt moest eens weten. Hij loopt over van de zorg. Truida en Bets, zijn dochter en vrouw die hem zo na aan het hart liggen.

Een klap op zijn schouder en Riekelts grijnzende snuit vlak-bij: 'Man, kijk niet zo bezopen, ze vreten je daar niet op.'

Ze vreten je daar niet op... En de woorden van Bets die in zijn hoofd rondzingen: 'Je gaat bij die vuilak vandaan.' Met lood in zijn schoenen loopt hij de trap op die naar het kantoor leidt. En daar zit-ie dan, voor het bureau met de pet op zijn knie, tegenover Jasper Jongkees. Ze kijken naar elkaar zon-der een woord te zeggen. Hij denkt: Zou Jasper het begrijpen als ik hem vertel hoe Bets over hem denkt? Een bitter lachje plooit zich om Jaspers mond als hij zegt: 'We weten het bei-den, is het niet, Lanting?'

Hij antwoordt niet. Wat zou hij moeten zeggen? Hij buigt zijn hoofd en zwijgt. En Jasper kijkt naar Hannes' gebogen hoofd, het zilvergrijze haar glanst op in het goudgelige kantoorlicht dat van de zolder naar beneden valt. Schuldgevoel bekruipt hem en een oneindig medelijden met de man die zo gebroken voor hem zit. Gesmoord zegt hij: 'Het is alles mijn schuld.'

Hannes heft zijn hoofd, kijkt hem aan en zegt: 'Jullie beider schuld.'

'Zo zie ik het niet. Ik heb haar in het ongeluk gestort.'

'En ook je eigen huwelijk, Jasper Jongkees, en vooral Jeanne.'

'Vanzelf, ook Jeanne.' Jeanne, zo nederig, zo weinig eisend, die van hem schrikt als hij haar wat vraagt, hem zoveel mogelijk ontwijkt en als een muis door het huis sluipt. Een houding waaraan hij zich meer en meer ergerde, en waarvan hij dacht: als het zo doorgaat hou ik het niet langer uit, dan gaat zij met de jongen maar voor in het huis wonen, en ik achter. Hij had het haar voorgesteld. Ze knikte, greep zijn hand, drukte er een kus op en zei schielijk: 'Dat wil ik al zo lang.'

Het overviel hem dat ze op die gedachte broedde, daar had hij geen weet van. 'Was het zo moeilijk er zelf mee voor de dag te komen?'

'Ik durfde niet.'

Ach zo, ze durfde niet. Hij las angst in haar ogen, en medelijden bewoog hem. Als hij haar nu eens in zijn armen nam en zei: 'Je weet hoe ik erover denk, maar alsjeblieft, geef me een kans, laten we weer leven als vroeger'. Maar nee, hij verhardde zich en zei nors: 'Dan maar zo vlug mogelijk.'

Jasper sluit een moment zijn ogen, voelt lust zichzelf aan te klagen tegenover de man die zo totaal verloren tegenover hem zit, schuld te bekennen dat hij verkeerd heeft gedaan en gefaald heeft tegenover diens dochter. Hij herhaalt: 'Ik neem alle schuld op me, ik pleit haar vrij.'

Wat zegt Lanting nu?

'Schuld? Niemand kan zijn eigen hart een halt toeroepen, en mijn dochter kennende denk ik niet dat ze zich met deze situatie heel erg ongelukkig voelt.'

Truida is zoveel sterker dan hij – Jasper. Hij hield al van Truida toen ze nog kinderen waren, maar had het nooit zo diep had gevoeld als toen op dat fatale moment. Zijn Truida. Hij raapt zijn moed bij elkaar en zegt: 'Hoe erg ook, ik kan van Jeanne niet scheiden. Maar vanzelfsprekend zal ik jullie in alles financieel ondersteunen.' Hij springt op, loopt heen en weer, een storm raast door zijn ziel. Zijn liefde voor Truida is zo groot dat niemand het zal begrijpen. Maar wat eens een gouden glans had, is nu grauw en dof. Eens een bevoorrecht mens, voelt hij zich nu een schurftige hond. De gedachten laten niet los, ze rollen als knikkers door zijn kop. Hij drukt zijn vuisten tegen zijn slapen, wil ze afremmen, maar het lukt niet, elke hartenklop is een steek van rauwe pijn. Hij blijft staan, stampt driftig op de grond, een gesmoorde kreet klinkt: 'Truida'. Jaspers stem breekt af in een snik, hij slaat zijn handen voor zijn gezicht, valt terug op zijn stoel. Hij ziet het leven dat voor hem ligt, een leven met Jeanne. Voor het eerst speelt hij met de gedachte alles achter zich te laten, heel die 'rotzooi', maar tegelijk beseft hij: hij kan niet buiten zijn zoon, hij kan zijn belofte aan Jeanne niet breken. Jeanne. Door haar kapitaal is hij de man geworden.

Hannes denkt intussen aan Bets: Als ik haar dit vertel, die totale ontreddering bij Jasper, zal ze me niet geloven. Ze zal allerlei verwijten naar m'n kop slingeren.

Jasper, in heel de regio een man van aanzien, en nu zo klein in zijn smart. En hij vraagt zich af: Is er in al deze ellende dan toch een sprankje genegenheid voor deze man in zijn eigen hart blijven bestaan?

Hannes staat op uit zijn stoel, loopt naar Jasper, geeft hem een schouderklopje en sust: 'Rustig maar jongen, voor alles komt een oplossing.'

Zegt Hannes dat, Hannes, wiens dochter hij heeft...? O, dat vertrouwelijke schouderklopje dat zijn hart verwarmt. Hij dwingt zijn gedachten weer tot redelijk denken en zegt: 'Ze hoeft geen armoede te lijden.'

Hij weet dat Jasper Truida bedoelt.

'Wil je daarmee de vuile smaak uit je mond spoelen?'

Mismoedig haalt Jasper zijn schouders op: 'Het is niet weg te spoelen, maar als je wilt, teken ik desnoods een schuldbekentenis, een verklaring dat ik jullie financieel niet in de steek laat. En hoeveel geld, daarover worden jij en ik het wel eens.'

Er valt een stilte tussen hen. Hannes, die over die woorden diep nadenkt, zegt: 'Ook als ik je zeg dat mijn vrouw erop staat dat ik vandaag mijn ontslag indien, omdat ze jou ziet als die grote vuilak die haar dochter dat heeft aangedaan? Nou, Jasper?'

Vanzelf, Bets Lanting. Haar moedereer is diep bezeerd. Bets Lanting die in haar recht staat en het hem – Jasper – nooit zal kunnen vergeven. Zachtjes zegt Jasper: 'Dan nog.'

Maar op de achtergrond is het besef, dat Hannes Lanting al jaren een van zijn beste krachten is; je kunt haast stellen: een steunpilaar op de fabriek. Jongkees senior wist dat, en hij, Jasper, weet het. Het lag zelfs in zijn bedoeling Hannes te vragen of hij na zijn pensionering nog genegen was een jaartje te blijven.

Zijn verantwoordelijkheidsgevoel als baas komt boven. Het schuift al het andere even naar de achtergrond. Vol zorg dringt hij aan: "Ontslag nemen?' zei je. Maar voor je die stap zet, Lanting, denk er eerst nog eens goed over na. Om een oudere werknemer zit geen enkele baas te springen en als ik je mag aanraden: laat dat plan. Snij jezelf niet in de vingers.'

Weg is de vertrouwelijke sfeer tussen hen. Hier spreekt de meester tot zijn knecht. Hannes keert zich van Jasper af, drukt de pet op zijn hoofd en loopt al naar de deur. Maar midden in de kamer blijft hij staan, kijkt om naar Jasper en vraagt: 'Waarom moest ik op kantoor komen?'

Dat is waar ook, hij is degene die Lanting zonder enkele voorwaarde vooraf bij zich heeft geroepen. Hij wilde praten over de ontstane situatie tussen hem en de familie Lanting, om daarmee een schandaal te voorkomen voor alle roddel en achterklap losbarst. Hij zegt dat nu ook: 'Om met je te praten en je te tonen dat ik niet die zedeloze vuilak ben waar je vrouw me voor uitmaakt.'

Weemoed trilt in Hannes. Wat valt er nog te praten? Bets die geen greintje mededogen voelt, alleen afkeer en vernietigende haat. Truida die Jasper in bescherming neemt en letterlijk smeekt: 'Probeer iets van onze liefde te begrijpen, moeder.' De vlam sloeg in de pan waar hij bij stond. In niets ontziende drift ranselde Bets op Truida los. Geschrokken was Hannes ertussen gesprongen: 'Laat los, ben je helemaal om er zo op los te rammen.' Bets was in snikken uitgebarsten: 'Eerst Luit, nou zij. Fijne kinderen heb ik, dat leeft er maar op los.'

Hij wist geen antwoord. Truida begreep die uitbarsting van woede wel. Ze was bij Bets neergeknield, droogde haar tranen, drukte een kus op haar moeders wang en had zachtjes gevraagd: 'Zal ik de deur dan maar voorgoed achter me dichttrekken?'

Even trokken Bets lippen in een verlegen glimlach, vergeten is al het lelijks en ze mopperde alweer quasiboos: 'Wat zijn dat voor nonsens? We horen toch bij mekaar, we kunnen mekaar toch niet missen?'

'Juist, moeder, zo is het. Dan moeten we ook elkanders leed dragen, maar bovenal leren verdragen. En ik hou van Jasper, dat kan zo maar niet worden afgesneden.'

Bij Bets overwon het moederlijke. Ze streelde Truida's haren.

'Ach kind, zwijg toch, dat weet ik immers.' Truida, haar lief kind, op wie nooit iets viel aan te merken.

Met Bets begaan, zei Truida: 'Ik begrijp het wel, moeder, hoe moeilijk het voor u is.'

En Hannes, naar vrouw en dochter kijkend, had gedacht: Hebben we ons ooit afgevraagd hoe moeilijk het voor haar is? Tussen moeder en dochter komt het tot een verzoening, maar hem doorvlijmt de smart nog in scherpe pijn. Truida, zijn lieve dochter.

Wat kletst Jasper nu weer? Diens stem vibreert wat nerveus,

dat is hij niet van hem gewend. Jasper, die altijd op zijn strepen staat, zegt nu wat haperend: 'Ik meende het, ik dacht...' Hij stokt en maakt een hulpeloos gebaar met zijn handen. Even wacht hij, dan heeft hij zichzelf weer in de hand. 'Jij en je vrouw hebben het recht op me te spuwen, in de drek te trappen, maar denk nog eens goed na, Lanting, over alles wat ik je heb voorgesteld.'

'Je bedoelt dat financieel aanbod,' herhaalt Hannes peinzend, meer tegenover zichzelf dan tegen Jasper.

'Ja, dat,' klinkt het snel. Jasper vecht tegen zijn tranen, bijt zich op de lippen. Waarom heeft hij dit Truida, Jeanne en anderen aangedaan? Hij dringt aan: 'Zullen we de zaak dan maar regelen, zowel voor jullie als voor Truida?'

Zaken? Hannes krijgt het er warempel warm van. Jasper dringt wel heel erg aan; geld als pleister op de wonde. Hij hoort Bets hem nog naroepen: 'Denk erom, Hannes, breken met dat zootje, een streep eronder.'

Ja, Bets heeft makkelijk praten. Toch houdt hij zich nu tegenover Jasper van de domme en vraagt: 'Je bedoelt?'

'De notaris, Hannes, wij met z'n tweeën. Ik wil dat het zwart op wit staat. Truida hoeft het niet te weten, ze zou het beslist afkeuren.'

Hij knikt, denkt aan Truida met d'r trotse kop. 'Dat denk ik ook wel.'

Dan zit Jasper weer achter zijn bureau. Hannes, met zijn pet in de hand, denkt: De een is weer de baas, de ander de knecht. Jasper kucht een paar keer, kijkt naar Hannes, weet feitelijk niet goed te beginnen, zegt dan op een gewichtig toontje: 'Aan de slag maar weer, Lanting. En denk erom, er is haast bij, die bestelling moet vandaag de deur uit.'

Hannes strijkt met zijn hand langs zijn raspige wangen. Waar is de Jasper van zo-even? Hij drukt de pet op zijn hoofd, knikt en zegt: 'Komt in orde, meneer.' Dan draait hij zich wrokkig om, loopt naar de deur, trekt hem open, slaat hem met een harde slag achter zich dicht. Hoe moet hij dit aan Bets uitleggen?

Eindelijk ligt Barendje, na het liedje van verlangen, en de belofte dat hij zaterdagavond een uurtje langer op mag blijven, in zijn bed. Hannes stopt met een tevreden gezicht zijn pijp en Bets komt met een vers gezet bakkie de kamer binnen. Onder het koffie schenken begint ze te vragen: 'En, vertel eens, hoe is het gegaan?'

Hannes strijkt bedachtzaam een lucifertje af, trekt puffend de brand in zijn pijp aan en denkt: Nou zul je het hebben. En daar heb je het al.

'Ben je doof? Ik vraag je wat.'

Nee, hij is zeker niet doof. Maar hoe moet hij dit alles aan Bets uitleggen? Bets, die zogezegd op wraak uit is, zonder erbij na te denken dat het voor hun de achterdeur uit is. Bets, die na alles wat er met Truida is gebeurd, Jasper Jongkees als hun grootste vijand ziet en zijn bloed wel kan drinken.

'Hoor ik nog wat?' Ze schuift het kopje naar hem toe, duwt het koektrommeltje onder zijn neus: 'Hier, neem een koekie.'

Hij bedankt: 'Ik heb m'n pijp.'

'Dan niet.' Het koektrommeltje slaat dicht en Bets zit. Ze roert in haar koffie. Ze kan haar weelde niet op. 's Avonds dat vertrouwde uurtje met Hannes, pratend over ditjes en datjes, in de wetenschap dat Barendje, weliswaar na veel vijven en zessen, eindelijk onder de wol ligt. Ondanks zijn verstandelijke handicap stelt dat joch toch vragen die tien wijzen niet kunnen beantwoorden. Vragen over Onze-Lieve-Heer: 'hoe Hij met zijn blote voeten over het water kan lopen', 'dan trek je toch laarzen aan', en 'de zon overdag schijnt en de maan 's nachts', en 'waarom een spin acht poten heeft en Barendje twee benen'?

'Om te lopen,' zegt Bets dan, om er maar vanaf te zijn.

Barendje kijkt haar met grote ogen aan, komt op zijn vraag terug en het komt weer op hetzelfde neer: 'Maar waarom hij dan acht en ik twee?'

Ze stopt de dekens achter zijn rug, moppert: 'Je maakt een mens horendol met je gevraag. En nu slapen.'

Nu ligt Barendje dan op één oor, en stelt zij haar vragen aan Hannes.

'Nou,' dringt ze aan. 'Toen je je zegje had gezegd, wat zei die smeerpijp?'

O, wacht even, dat klinkt weer anders dan vuilak, maar het woord blijft hangen. Hannes is ervan overtuigd, dat Jasper van Truida houdt. Dat hij niet alleen haar, maar heel de familie financieel wil bijstaan. Hij had Jasper gezien in zijn radeloos verdriet, met duizend draden gebonden aan zijn zaak, zijn vrouw en kind. Met dat beeld nog voor zijn geest zegt hij: 'Je had hem moeten zien.'

'Toen je je ontslag aanbood?' Een hatelijk lachje van voldoening: 'Dat had ik wel willen meemaken.'

Hè, waarom denkt zijn vrouw nou niet even door. Nijdig bijt hij op de steel van zijn pijp, valt dan kregel uit: 'Mens, denk toch eens door, als ik had gedaan wat jij zei stonden we nu op straat.'

'Niet dus?' Een schelle, nare lach. 'Ik dacht het wel, en wat er met onze Truida is gebeurd ben je natuurlijk vergeten.'

'Ik ben niks vergeten. Maar jij vergeet dat onze dochter ook niet vrijuit gaat. Daar zijn er twee voor nodig, niet alleen Jasper.'

'Welja, neem het maar op voor die smeerpijp.' Woest is Bets. Haar kijven dringt tot boven door, waar Barendje met zijn hoofd over de bedrand ligt te luisteren. Het is mot tussen vader en moeder, dat begrijpt-ie wel. En dat het over Truida gaat snapt hij ook, maar waarover? Niet over Onze-Lieve-Heer in elk geval, die met blote voeten over het water loopt. Barendje draait zich op zijn rug. Hè, wat kraakt die spiraal. Als-ie nu-es roept dat-ie dorst heeft, misschien dat moeder dan...

'Wel potdorie!' Da's vader, nou, dat is niet mis. Vader die hem een draai om zijn oren geeft als hij vloekt, en nu doet hij het zelf, en dat allemaal om Truida?

Truida, Truida, hij hoort niet anders dan Truida. Hij houdt veel van zijn oudste zus. Als ze het weekend thuis is, geeft ze hem stiekem een bakkie koffie met veel suiker en melk en dan fluistert ze in zijn oor: 'Zeg maar niks tegen moeder, anders hebben we de poppen aan het dansen.'

Ja, vertel hem wat. Van de week kreeg hij ook geen ijslolly. O, daar begint moeder weer, haar stem snijdt als een glasscherf. Nu vader weer, net het gebrom van een boze beer. Waar gaat het toch over? Als Truida dit weekend komt, zal hij haar toch eens vragen. Hij staart in het donker en denkt aan zijn zuster. Hij piekert en peinst, de pratende stemmen beneden worden doffer, dan sukkelt hij weg naar dromenland.

Beneden is het anders gesteld. Tussen man en vrouw hangt een stilte vol verwijten. Hannes gluurt naar zijn vrouw. Ze schijnt een beetje rustiger en hij waagt een kans.

'Hij wil ons in financieel opzicht tegemoetkomen.'

Bets stuift weer op: 'Man, man, dat je je zo laat lijmen door die vent.'

Kijk, dat wordt beter, geen smeerpijp meer of vuilak, maar vent. Bets toomt wat in, dat geeft hem moed.

'Een maandelijkse financiële tegemoetkoming.'

'O. Wil je nog een bakkie?'

Gelukkig, de storm drijft wat over. 'Schenk maar in.'

'Probeert-ie zo het schandaal af te kopen?' Met een harde tik komt het kopje op het schoteltje neer.

Schandaal, dat woord heeft hij ook tegenover Jasper laten vallen. Nu denkt hij er iets anders over. Hij zegt: 'Weet wel, wij worden er ook beter van.' Op Bets vragend-verwonderde blik: 'Financieel bedoel ik, niet alleen zij, maar ook wij.'

Een minachtend gesnuif: 'Daar heeft die rijke stinkerd geen centje pijn van.' En vol minachting: 'Rijk geworden over andermans rug.'

Ja, Hannes denkt aan Jeanne. Jeanne, die een goed stuk geld meebracht, waardoor Jasper de man is geworden die hij nu is. Jasper die Truida...

Daar stuift Bets weer op: 'Al zwaait-ie met een miljoen, de schande wordt er niet minder om.'

Hij sust, gaat tegen zijn eigen gemoed in: 'Niemand hoeft het ware toch te weten.'

'Omdat jij of hij dat niet wil.'

Waarom schimpt ze zo op hem? En zijzelf dan? Als er één bang is voor een familieschandaal is zij het. Bitter valt hij uit: 'Vergeet jezelf niet, als er één bang is voor schimp, ben jij het. En nu ben ik de zwarte piet.'

Voor het eerst in zijn leven voelt hij zich in haar teleurgesteld. Maar Bets, die tegen de zwarte schaduw vecht die over hun familieleven is gevallen – eerst Luit, nu Truida – voelt zich door haar man in de steek gelaten. Ze raast en tiert, vindt hem een slappeling die zich voor het karretje van Jasper Jongkees laat spannen, en ze eindigt met een rood hoofd van kwaadheid: 'Bah, ik walg van je, je valt voor het geld, maar je was meer kerel geweest als je daar je ontslag had genomen.'

Hij is een moment totaal onthutst door alles wat ze hem voor de voeten gooit. Hij kijkt naar haar alsof hij zijn vrouw voor het eerst ziet. Is dit Bets die altijd bang was voor zijn baan? Stroef zegt hij: 'Vroeger sprak je anders.'

'Vroeger, dat kan me nu niet schelen.' Woest is Bets. 'Jij neemt bloedgeld aan en laat je dochter in de drek drukken.'

Hij zucht: 'Mens, hoor je wel wat jij daar allemaal zegt. Praat toch eens redelijk.' Hij probeert zijn stem gewoon te laten klinken, maar het lukt niet. Hij moet een paar keer slikken om die prop in zijn keel weg te krijgen.

'Lamzak,' grauwt ze.

Als een steekvlam schiet de woede opeens door hem heen. Hij geeft een harde klop op de tafel, springt op, staat breed en dreigend voor haar en schreeuwt schor van drift: 'Hou nou je grote waffel eens, en sla een ander toontje aan. Denk je ergens goed aan te doen...' Onzeker en kokend van woede stampt hij door de kamer, zo hard dat de kopjes op de schoteltjes staan te rinkelen.

Daar gaat de kamerdeur open. Op de drempel staat Barendje, wakker geschrokken door vaders harde stem. Het moet wel heel erg zijn, want vader schreeuwt nooit. Hij komt de kamer binnen, kijkt van vader naar moeder, ziet hun gezichten met boze blikken en vraagt: 'Waarom schreeuwen jullie zo?'

Vader komt naar hem toe, legt zijn hand op zijn schouder, geeft een knipoog en zegt: 'Rustig maar jongen, er is niks aan het handje.'

Maar moeder zegt heel wat anders: 'Ga met je voeten van het zeil. Straks heb je nog een kou op je blaas.'

Pff, een kou. Barendje steekt zijn onderlip naar voren en bluft: 'Het is niet koud.' Al had-ie 'dooie' tenen, dan zei-ie lekker nog niks. Hij kijkt begerig naar de koffiepot en bedelt: 'Mag ik ook een beetje?'

'Koffie? Geen denken aan. Vooruit, naar je bed.'

Hannes ziet de situatie aan en bromt: 'Geef dat kind toch een bakkie.'

Barendje triomfeert. Hij krijgt lekker toch een bakkie koffie. Zie je wel, vader en Truida zijn veel liever voor hem dan moeder. Genietend lebbert hij van zijn koffie. Vader duikt achter de krant en moeder grijpt naar haar breiwerk. Zou hij het vragen over Truida? Daar ging de ruzie toch over, al kon hij lang niet alles verstaan. Vader gluurt over zijn krantje heen en vraagt: 'Smaakt het, knul?'

Barendje schraapt met het lepeltje zijn kopje uit en likt het met een vergenoegd gezicht schoon. Hij smakt met zijn lippen. Lekker hoor, die suiker.

Opeens is daar moeders gebiedende stem weer: 'Nu is het mooi geweest. Vooruit, naar je bed.'

Verlangend blikt hij naar vader. Als die nou eens... Maar nee, ook vaders stem vanachter de krant zegt nu: 'Vooruit, jong, doe wat je moeder zegt.'

Barendje treuzelt nog wat, maar vader voegt eraan toe: 'Vooruit, opschieten, Barend. De pret is over.'

Oei, als vader Barend zegt, dan is het menens. Vlug trippelt hij over het koude zeil, gaat de trap op naar boven, duikt in zijn bed, trekt de dekens hoog op tot over zijn oren. Laat ze

beneden maar ruzie maken, het kan hem allemaal lekker niks meer schelen.
Maar beneden blijft het ijzig stil. Vader en moeder lijken hun tong te zijn verloren.

HOOFDSTUK 6

Het is vrijdagochtend. Luit komt met een verstoord gezicht achterom de keuken binnen. Bets staat net achter het gasstel de overgebleven piepers van gisteren te bakken.

'Morgen, moeder.' Hij trekt een stoel onder tafel uit en gaat zitten. Zijn vingers trommelen op het tafelblad. Zwaar hangt de bakgeur in de keuken. Het is vaste prik op vrijdag: opgebakken piepers met sla en een tomaatje, met een schep suiker erover. Zijn vader is er dol op, hij gruwt ervan. Hij kijkt eens naar zijn moeder. D'r haren zijn grijzer geworden en de groeven om haar mond dieper. Dat akkefietje toen met Truida is haar niet in d'r kouwe kleren gaan zitten. Maar intussen heeft Truida een dochtertje. Het is een stevig klein ding met pluizige blonde haartjes, een lief rond bekkie en een paar blauwe kijkers die vragend-zoekend de wereld inkijken.

'Ik heb haar naar jou vernoemd, vader,' had Truida gezegd. 'Hanneke van Hannes, en Betsy van Luit en Guurtje is vernoemd naar moeder. Zo blijven jullie namen in ere.'

Vader had in de wieg gekeken en kon van aandoening geen woord spreken. Met moeder lag het anders. Die wierp een blik op het kind en zei: 'Een wolk van een meid,' op zo'n koude, onverschillige toon dat een ieder er van schrok. Daarna was ze de kamer uitgelopen. Vader had haar hoofdschuddend nagekeken en in het algemeen gezegd: 'Moet dat nu zo?'

'Laat maar gaan, ik begrijp het wel,' was Truida's reactie geweest en ze had vaders hand gepakt.

'Zo'n onschuldig kind,' had vader nog gezegd.

Vader kon dat wel zeggen, maar moeder was er nog lang niet overheen. Ze duldde slechts. Maar Truida is gelukkig met haar kind, het kind van Jasper, waarvoor ze zal vechten en werken. Ja, zo praat Truida en Guurtje gaat daar volkomen in mee. Guurtje past op Hanneke en vertroetelt het als een eigen kind, vooral op zondagochtend. Dan neemt ze er alle tijd voor, poedelt het kind schoon in het kinderbadje, en laat het daarna spartelen op haar schoot. Ze kent geen groter genot dan daarnaar te kijken. Ze streelt de mollige beentjes, pakt de voetjes in haar hand, kust een voor een de zachtroze teentjes. Hijzelf met de kleine Betsy op zijn knie ziet de zachte glans op haar gezicht, de lieve glimlach om haar mond. Guurtje is een vrouw die geboren is om moeder te zijn. Hoe graag zou hij... Maar na die zware bevalling van Betsy – het scheelde maar een haartje of Guurtje was er niet meer geweest – durft hij het niet meer aan, hoe ze ook aan zijn kop zeurt.

'Wees toch wijzer, na al wat je hebt moeten doorstaan,' zegt hij dan.

'O, maar als het er eenmaal is, ben je op slag al die pijn vergeten.'

'Maar ik niet. Het is een martelgang voor een vrouw.'

'O, maar wie moet dat kind ter wereld brengen? Ik, niet jij.'

'In zo'n bloedbad. Je mag blij zijn dat je kerel er zo over denkt.'

Maar Guurtje houdt aan: 'Ik wil nog een kind, ik ben niet bang.'

Nee, Guurtje is niet bang. Hij wel. Hij is bang haar te verliezen, bang dat hij met de kinderen blijft zitten. Kleine handenbinders zijn het, hij moet er niet aan denken.

Guurtje blijft aandringen en hij houdt zijn poot stijf.

'Hou er toch eens over op,' laat hij zich dan wrevelig ontvallen. Waarop Guurtje dan, opeens timide zegt: 'Wie moet ik het anders vragen dan mijn man?'

Verdorie, ze zanikt er maar over door. Voor hem is het anders ook zo leuk niet. De angst van toen houdt hem nog in de greep, en ook de dokter waarschuwde hem: 'Geen tweede kind meer, dat risico is voor uw vrouw te groot.' Maar Guurtje bleef maar zeuren en zeuren. Gek wordt-ie ervan en wreed spottend valt hij uit: 'Als je dan met alle geweld je zin wilt doordrijven, ga dan naar Kees Baars. Die heeft negen koters op de wereld geschopt.'

Spierwit trekt ze weg onder die ongehoorde belediging. Voor

hij erop verdacht is, geeft ze met haar vlakke hand een mep op zijn wang: 'Daar, Luit Lanting, met je schofterige praat.'

Hij deinst achteruit en stamelt geschrokken: 'Wat doe je nou?'

'Wat ik doe? Jou aan je verstand brengen dat je vrouw geen lichtekooi is.'

Hij sust: 'Lieve kind, zo bedoel ik het toch niet.' Hij wil haar in zijn armen nemen, maar ze duwt hem ruw achteruit: 'Laat dat.'

Enfin, de bui dreef weer over, er was rust tussen hen, een paar weken lang. Maar dan draait het weer op een twistgesprek uit en om erger te voorkomen loopt hij dan maar de kamer uit. Verdorie nog-an toe, wat heeft hij het er moeilijk mee.

'Wat doe jij hier eigenlijk op de vroege morgen?' vraagt zijn moeder, die hiermee zijn gedachten doorbreekt. 'Hoor jij niet op je werk?' En met een hoofdknik: 'Geef die schaal eens aan.'

'Welke schaal?' Zijn kop zit bij andere dingen.

'Vlak voor je neus, op tafel.'

'Alsjeblieft.' Hij reikt haar de schaal. 'Ik zie het al, het oude recept: sla met opgebakken piepers, nog net als vroeger.'

'Je vader is er dol op.' Ze schept de gebakken schijfjes in de schaal en zet hem op de spaarbrander.

'Dat was vroeger al, dat is nog zo.'

'Als je dat maar weet.' Ze wordt onrustig, wat moet hij hier op vrijdagochtend? En ze polst: 'Is er wat met Guurtje?'

Guurtje komt elke zondag trouw met Luit mee. Hannes zit dan met die kleine op zijn knie, en zij schenkt koffie en presenteert botersprits.

'Guurtje, welnee, hoe kom je daar bij?' Harder trommelen zijn vingers op de tafel. 'Ze is dol op die kleine. 't Kan geen kik geven of ze hangt over de wieg.'

Die kleine is Truida's kind. Voor de buitenwereld van een onbekende vader, maar Bets weet beter. Heel de familie is er financieel niet slechter van geworden. Maar het was 'zwijg-geld', en het vreet aan haar, eigenlijk nog steeds. Slapeloze nachten heeft ze ervan gehad. Van Mijntje had ze zich zoiets kunnen indenken, maar van Truida... Truida zelf gaat er lachend aan voorbij. Voor haar is er maar één Hanneke, en pas op: geen kwaad woord over die Jongkees. Dan denkt ze aan Guurtje, ziet haar over de tafel hangen terwijl ze klaagt: 'Soms voel ik me doodmoe.'

Guurtje klaagt nooit, dit klopt niet. Scherper nam Bets haar schoondochter op. Ze vond dat Guurtje bleek zag. Diepblauwe kringen liggen onder haar ogen en ze vroeg: 'Neem je niet te veel hooi op je vork? Je eigen kleine en die van Truida, je huishouden en dan ook nog de winkel. Me dunkt, een mens gaat maar één gang.'

Guurtje was in de lach geschoten: 'Ach kom, ik ben geen oud besje.'

Bets kijkt naar Luit. Er hangt iets sombers om hem heen. Scherper dan haar bedoeling is, zegt ze: 'Je hoort op je werk en niet hier je tijd te verdoen.'

Hij schrikt op: zijn tijd te verdoen? Straks heeft hij hele dagen om zijn tijd te verdoen. Maar hoe moet hij haar dat vertellen? 'Nou, hoor ik nog wat?'

'Ik ga niet meer naar de werf. Dáár, nou weet je het.'

'Wat?' Met open mond staart ze hem aan. 'Is het je in je kop geslagen?'

'Misschien. Ontslagen, op staande voet nog wel.'

'Ontslagen? Jij? Waarom?' O, lieve help, wat hangt hen nu weer boven het hoofd? Eerst Truida, nu weer Luit. Altijd die zorgen en ze had Barendje natuurlijk al. Hoeveel kan en moet een moeder verdragen?

'Omdat ik het zoontje van de baas zo'n oplawaai heb ver-kocht dat hij sterretjes zag.'

'Heb jij Bart van Ommen...' Bart, de hoogopgeleide zoon van de baas, die alles mee en niks tegen had. Zat altijd goed bij kas. De toekomstige eigenaar van de scheepswerf, en heeft Luit...?

'En nu heb je dus geen werk meer.' Typisch Luit met zijn trotse kop. Vroeger nam hij al niks zomaar aan en als het hem niet zinde kon hij rake klappen uitdelen.

'Hoe raad je het?'

'Hoe moet het nu? Ontslagen, dat is me nogal wat. Je hebt natuurlijk nergens een kans meer, want reken er op dat dat wordt rondgebazuind.'

'Wat dacht jij dan. Die houden heus hun mond niet.'

'Maar jongen toch, ontslagen, doet het je dan niks?'

'Zou je me eerst niet eens vragen waarom ik hem geslagen heb, moeder?'

'Wat het ook is, je had je handen thuis moeten houden.'

'Natuurlijk, maar gebeurd is gebeurd.'

'En als je je excuses aanbiedt?'

'Van mijn leven niet,' stuift hij op. 'Weet u wie de feitelijke schuldige is? Van Ommen zelf. Vanaf het moment dat ik op de werf kwam, heeft hij mij beloofd: als er een plek vrijkwam bij het scheepslassen, dan zou ik ervoor in aanmerking komen. Dan wilde hij het met me proberen. Maar ondanks die mooie belofte werd ik al twee keer gepasseerd. Enfin, ik nam het, hoewel... Nu deed zich een derde kans voor, maar mooi dat ik weer niks hoorde. Daarom ging ik naar het kantoor. Ik wilde er het mijne van weten. Maar of het zo moest wezen… de deur van het kantoor stond op een kiertje open. Ik hoorde dat zoonlief bij zijn vader was, en vanuit de gang heb ik het gesprek afgeluisterd. Ik weet het, ik geef het toe: het was niet netjes van me. Zo heb je me niet opgevoed, moeder. Maar toen begreep ik het. Zoonlief voerde het hoogste woord. Hij was het die de plannen die Van Ommen met mij had dwarsboomde. Ik hoorde hem letterlijk zeggen: 'Wat, eentje van hier? Met alleen lts en wat avondstudie? Wees toch wijzer.' Zijn studievrienden voor scheepsbouwkunde, die moesten stage lopen op de scheepswerf waar Bart van Ommen de toekomstige eigenaar van is. Die ouwe zwichtte en was toen op de hand van zijn zoon. Voor de derde keer had ik het nakijken. Ik kon mezelf niet inhouden en gooide de deur open. Ik liep op Van Ommen af en zei: 'Dat valt me van u tegen, meneer. U denkt zeker: zo houd je een gek zoet.' Hij schrok, zei niks, maar zijn zoon des te meer. Die klopte me op de schouder en zei: 'Al zit het je niet lekker, Lanting, wij stellen hier de wetten. Ik gebied je het kantoor onmiddellijk te verlaten, meneer de lasser.' Dat laatste was te veel. Ik haalde uit en gaf hem een dreun op zijn bakkes dat het bloed uit zijn neus spoot. Toen had je de poppen aan het dansen, dát begrijp je. Van Ommen ontsloeg me op staande voet. Het is nog een bof dat ik mijn salaris kon ophalen op kantoor. En nu zit ik hier en ik vraag me af of je het begrijpt.'

Of ze het begrijpt! Luit is ontslagen. Luit in wie het verlangen om scheepswerktuigkundige te worden wel op een laag pitje stond, maar nooit was gedoofd. Dat hij zomaar ontslagen is voelt hij als een vernedering en het vreet met gloeiende tanden aan zijn eerzucht.

Vol kopzorg legt ze haar hand op zijn arm en vraagt: 'En wat nu, jongen?'

Hij zucht. Hij voelt zich rampzalig. 'Ik weet het niet. Misschien dat ik me als dekknecht voor een half jaartje kan verhuren bij een of andere sardienvisser.'

'Jij en vissen? Dat geloof je zeker toch zelf niet?'

'Ik zal wel moeten. Het geld komt me niet aanwaaien.'

'Daar had je weleens eerder aan kunnen denken.' Ja, vertel hem wat! Natuurlijk is-ie stom geweest om Bart van Ommen zo'n klap te verkopen. Dat die knaap dat niet pikt, daar kon je vergif op innemen. Enfin, het zal wel op een fikse boete uitdraaien. En dan komt Luit er nog goed vanaf. In wezen heeft hij geen poot om op te staan, hij is de dader.

'We moeten maar zo denken: als je geen werk vindt, hebben we altijd nog altijd de winkel.' Moeder klampt zich gretig vast aan de winkel met zuur. In het begin werd elke verdiende gulden opnieuw geïnvesteerd, tot aan zijn overwerkgeld toe, totdat die na een aantal magere jaren prima liep. Ook natuurlijk omdat er zoveel mogelijk met eigen volk wordt gewerkt. Hij had het wel goed gezien toen, om dat café te huren. Dat

Guurtje een oogje op hem had, had hij ook wel door. Dat 'moetje', daar had hij wel voor gezorgd. Hij wilde heus wel trouwen, maar alleen op zijn voorwaarden: in gemeenschap van goederen. Verwonderd had Guurtje hem aangekeken of hij een ander wezen was, maar lachend was hij erop doorgegaan: 'Ja, je trouwt toch niet alleen om over en weer verzorgd te wezen? Voor die tijd moet alles zakelijk worden geregeld.'

'Ja, ja,' had Guurtje kalm geantwoord. 'Waar jij op voorhand al niet aan denkt.'

'En aan het kind dat komen gaat.' Hij had haar naar zich toegetrokken en gevraagd: 'Ben je gelukkig, Guurtje Stam?'

'Heel gelukkig,' had ze geantwoord, met een kus op zijn wang. 'Straks wij met ons drieën, jij, ik en het kind.' Hun kind, Betsy. Nog kan hij een schuldgevoel niet onderdrukken. Arme Guurtje, wat had ze niet moeten uitstaan? Waar was het goed voor dat een vrouw bij de geboorte van een kind zo moet lijden? Guurtje had op het randje gelegen en toch wil ze een tweede kind.

'Ik vraag me af wat Guurtje straks zegt.' Zijn moeder verstoort zijn gedachtegang.

Dat ze niet zal staan te juichen, staat bij voorbaat vast.

'En je vader en Mijntje.' Moeder laat in haar schrik heel de familie passeren.

'Vergeet Truida niet.' Zijn moeder lijdt nog steeds onder wat ze ervaart als een diepe schande, voor Truida en hun hele gezin. En nu weer zijn ontslag. Dat zal hen allen opbreken, want als hij niet gauw werk vindt, is vader hier de enige kostwinner. Nog een geluk dat vader toentertijd op de rokerij is blijven werken, ook al deden allerlei praatjes de ronde. Maar hier in de buurt werd en wordt altijd wel wat afgesmoesd. Totdat Truida hem ongevraagd toevertrouwde: 'Het is van Jasper Jongkees en we houden van elkaar, maar we willen allebei niet dat hij van Jeanne gaat scheiden. En het kind houd ik.'

'Zo'n fielt,' was hij uitgebarsten. Ook hij wist wel dat Jasper, toen ze nog kinderen waren, met Truida in het schuurtje stond te vrijen.

'Ik wil niet hebben dat je zo over hem praat,' was Truida boos uitgevallen. 'Hij is geen fielt en je snapt er niks van.'

Dat ze die Jongkees nog verdedigde ook. Nee, hij heeft haar niet verleid, maar zij heeft zich uit vrije wil gegeven. Als het moest zou ze een mensenleven op hem wachten.

Na de verwijten kwam de diepe verslagenheid. Toen had Truida haar armen om zijn hals geslagen en hem op de man af gevraagd: 'Als het kind geboren is, mag het dan zolang bij jou en Guurtje?'

Hij had getwijfeld. Maar Guurtje wilde dolgraag een tweede kind. Daarom zwichtte hij, hij moest het risico maar nemen. Had hij Truida ooit iets kunnen weigeren? Nors had hij geantwoord: 'Het mag kort of lang duren, maar uitkomen doet het. Ik blijf naast je staan, wees daarvan verzekerd, maar dat we het moeilijk krijgen, da's wel zeker.'

Truida had hem alleen gevraagd: 'Als Jeanne plotseling zou overlijden, denk je dan dat hij alsnog met me zal trouwen?'

Met gespeelde overtuiging was hij er op ingegaan: 'Vast wel. Vroeger was-ie al verkikkerd op je, en op de keper beschouwd heeft hij geen beroerd karakter.'

'Nee, hè?' lachte ze verheugd. 'Misschien een beetje zwak.'

Hij had wat bevangen gelachen en beschermend zijn arm om haar schouders geslagen: 'Jullie waren alle twee een beetje zwak.'

Moeder was op een stoel neergezakt. Luit leest zorg op haar gezicht, maar ook schaamte. Hij kan haar gedachten lezen: wat haar zoon haar nu weer met z'n dolle kop aandoet... en dat de roddel straks weer aan alle kanten zal losbreken... Ze zucht en zegt: 'Hoe moet ik dit aan je vader vertellen?'

Hij weet wat ze denkt. Vader is de goedheid zelve, maar als hij eenmaal kwaad is, berg je dan maar. Het was vader ook geweest die tegen moeders scherpe tong in het voor Guurtje opgenomen had: 'Trouwen die twee, zo gauw mogelijk. Een

Lanting laat geen vrouw in de steek, en zeker geen vrouw als Guurtje.' Luits hart groeide: dat was nu zijn vader, een man van eer en karakter.

Opkijkend naar zijn moeder, zei Luit nu: 'Maakt u zich maar geen zorgen. Ik zal het hem zelf wel vertellen.'

En dat doet hij 's avonds na het eten, met zorgvuldig gekozen woorden en bonzend hart.

Met een diepe frons in het voorhoofd hoort Hannes hoe moeilijk het Luit valt hem dit te vertellen. Hij pleit zichzelf daarbij niet vrij. Er valt een stilte in de kamer. Een pijnlijke stilte waarin alleen de klok tikt en het water in de ketel op de kachel raast. Hannes strijkt met zijn hand door zijn steeds dunner wordende haar. Met meer dan gewone aandacht kijkt hij naar zijn zoon en zegt: 'Jongen toch. Ik zou toch denken: die zoon van mij is oud en wijs genoeg... Als Van Ommen op zijn stuk staat en zijn gram wil halen...'

Ja, dat is nog erger dan geen werk. En de scheepswerf is voor Luitje voorgoed verkeken. Verdorie, waarom heeft hij zich toch op dat fatale moment door zijn drift laten meeslepen...

'Heb je het Guurtje al verteld?'

Weemoed doortrilt zijn hart. Guurtje, die altijd vol zorg is voor hem en lief voor de kinderen. Maar toch, als ze 's avonds tegenover elkaar aan tafel zitten, hebben ze weinig aanspraak aan elkaar of moeten ze zoeken naar de juiste woorden. Toch, de oorzaak kennen zij beiden. Hij kijkt zijn vader aan en schudt zijn hoofd. 'Ik wil daar nog even mee wachten.'

'Hoe wil je dan verklaren waarom je 's morgens niet naar je werk stapt?' Moeders stem klinkt scherp als een scheermes.

'Als jij eerst eens een bakkie voor ons zet, moeder,' snijdt vader haar de pas af.

En hij denkt: Koffie, altijd koffie als heul tegen goed en kwaad, en vader is daar sterk in.

Moeder knijpt de lippen stijf op elkaar, doet een graai naar de waterketel en duwt hem onder de kraan.

Vader knipoogt naar hem: 'Zo, da's beter.'

Luit zegt niks. Zijn keel zit dicht en zijn hart voelt zwaar.

'Je zult het je vrouw toch moeten vertellen, Luit. Uitstel heeft geen enkele zin,' dringt zijn vader aan.

'Ze is heus niet op d'r achterhoofd gevallen,' kwam moeder weer. Met een harde tik komt de ketel op het gas. Als ze de koffie inschenkt, trilt ze over heel haar lijf.

'Als je maar niet denkt dat we je hier de kost voor niks kunnen geven.'

Met een strak vertrokken gezicht haalt hij zijn schouders op.

'Ik jullie uitvreten? Maak je geen zorgen.'

Dan schiet vader uit zijn slof. 'Wel heb ik van m'n leven, vrouw! Een kind van ons vindt hier altijd een open deur en een goed gedekte tafel, laat dat je gezegd zijn.'

Moeder houdt zich verder gedeisd, want die enkele keer dat vader tegen haar uitvalt, is hij lang niet makkelijk.

Hannes trekt aan zijn pijp en kijkt tersluiks naar Luits sombere gezicht. Luit is een harde, secure werker die voor zijn taak staat. Anders had Van Ommen hem niet gehouden. Vorige week nog hield Van Ommen hem op de Vismarkt staande en zei: 'Dat jong van jou, Lanting, heeft het lassen in zijn vingers.'

'Dat wist ik altijd al,' had hij in vaderlijke trots gezegd.

'Ik ook,' lachte Van Ommen. 'Anders had ik hem nooit als lasser op de werf aangenomen.'

En nu dit. Luit ontslagen door eigen toedoen. Luit die zich misschien te veel laat leiden door zijn droom om hogerop te komen en nu zijn eigen glazen heeft ingegooid. Hannes blaast een rookwolk uit en peinst hardop: 'Ik denk wel dat je je lesje hebt geleerd. Een dolle kop brengt een mens meestal in de penarie.'

'Alsof ik dat niet weet.'

'Nee,' klinkt het effen, 'anders had je het wel gelaten.'

Plots stuift Luit op: 'Wat weet je ervan, vader? Van Ommen had me op voorhand beloofd: 'Doe je best, dan zorg ik ervoor dat je hogerop komt. Met een paar jaar avondstudie erbij, ligt de weg van scheepswerktuigkundige voor je open.' Mooie woorden, maar tot drie keer toe is hij me gepasseerd. Drie keer, vader!

En nu begrijp ik dat dat de invloed is van zijn zoon.'

Het snijdt Hannes door zijn ziel. Luit, zijn grote 'kleine' jongen, die zich zo diep vernederd voelt. Toch zegt hij: 'Het kan zo zijn zoals het is, maar Van Ommen is en blijft de baas. Het is zijn goed recht jou te ontslaan als jij zo handelt.' Hannes schudt zijn hoofd: 'Hoe je het wendt of keert, Luit, dit alles heb je aan jezelf te danken. Maar hoe nu verder?'

Ja, hoe nu verder? Naar werk kan-ie fluiten, daar zorgt Van Ommen wel voor. Van Ommen staat hoog in aanzien, ook bij de concurrentie. Hij is voorzitter van de bedrijfsvereniging bovendien. Nee, werk kan-ie wel schudden.

'Vertel eens, als je nou toch eens op de werf terug zou mogen komen, zou je dan gaan?'

'Wat?' Gebelgd stuift hij op: 'Van mijn leven niet! Honderdmaal liever met een sardienvisser het zeegat uit dan daarnaar terug.'

Hannes glimlacht. 'Bravo, zo mag ik het horen. Je grijpt jezelf in je nekvel, da's de beste methode om over een teleurstelling heen te komen. Maar ik zal eens met Jasper gaan praten, voor jij bij een sardienvisser aanklopt.'

Vader bedoelt het vast goed, maar werken bij Jasper Jongkees? Jasper, die Truida... Moeder kan zich nu niet langer stilhouden.

'Wat, bij die smeer...' Maar bij het zien van vaders fronsende wenkbrauwen slikt ze het woord in en verbetert zichzelf: 'Bij Jongkees, die mijn dochter...'

'Ook mijn dochter, vrouw. Vergeet niet dat we ook veel aan Jasper te danken hebben.' Er trilt boosheid in zijn zachte stem. Jasper doet via zijn notaris Truida een maandelijkse toelage toekomen, en daar vaart de familie ook wel bij.

Het had overigens nog heel wat voeten in de aarde gehad toen Truida daarachter was gekomen. Spinnijdig was ze. Waarom had niemand haar daar iets van verteld? Waarom werd alles achter haar rug om bekonkeld?

'Dan had jij prompt geweigerd, en we hadden al kopzorg genoeg,' was de reactie van moeder.

Truida had zich tot vader gewend en gezegd: 'Van moeder kan ik het begrijpen, maar dat u... Ik wil van niemand geld, ik werk zelf voor mijn kind.'

Vader, rustig als altijd, had geantwoord: 'Het is ook zijn kind, Truida. Laten we zeggen dat hij het financieel probeert goed te maken, omdat hij niet anders kan. Dat hij van je houdt, daar ben ik zeker van.'

'Dat kan zijn, maar dat ook u... Of dachten jullie: geld vergoedt alles?' vroeg Truida schamper.

'Stil toch, stil toch.' Vader maakte een hulpeloos gebaar met zijn handen. 'Vanuit jouw standpunt bekeken kan ik me indenken dat je zo reageert. Maar geloof me, hij heeft ook verdriet.'

Ja, zo was het gegaan. Truida legde zich erbij neer. Vader is dankbaar voor de financiële steun, en moeder toch ook wel, al blijft er iets bij haar knagen. Tussen vader en Jasper is een band gegroeid van wederzijds begrijpen.

Maar Luit ziet het door een eigen bril. Zwijggeld was het, omdat Jongkees Rokerijen erbij betrokken zijn, en het die naam schande en scha kan toebrengen. Jasper was in hun kinderjaren al een 'lepe' jongen, en in de grote boze mensenwereld komt die leepheid nu goed van pas. Vader heeft ondanks die affaire met Truida, en ondanks dwang van moeder, nooit op de rokerij zijn ontslag genomen. Vader hield zijn poot stijf en bleef wat hij was: inpakker in de rokerij. En nu wil vader voor hem – Luit – een goed woordje bij Jasper doen. Die vader toch. De rokerij waar Luit altijd met een grote boog omheen liep.

Luit bedwingt een zucht en bromt onwillig: 'Het is altijd te proberen.'

'Da's verstandige praat.' Vader knikt tevreden en lurkt nog eens aan zijn pijp. 'Lukt het niet, dan kun je alsnog het zeegat uit.'

Moeder zegt niks. Met opeengeklemde lippen schuift ze met een ruk de stoel achteruit wat de poten in zacht protest doet kraken.

'Wie nog koffie?'

'Ik!' Vader blaast tevreden een rookwolk uit.

'Jij?' Ze richt haar blik op hem.

Hij knikt: 'Doe maar...'

Als ze koffie schenkt, ziet hij haar handen trillen.

HOOFDSTUK 7

Negen uur, het is schafttijd. De mannen zitten aan tafel en de stemmen klinken over en weer. De visrokers zitten naast de inpakkers. Naast de zouters zitten vier nieuwe, die de kunst van het inzouten ook verstaan. Het zijn stevige jonge knapen, die Jasper vorige week voor een proeftijd van drie maanden heeft aangenomen. Slaagt het over en weer, dan krijgen de vier een vast contract. Sinds kort heeft Jongkees een nieuwe tak aan zijn bedrijf toegevoegd: het 'drogen' van zoetwatervis. Daarover is onder het werkvolk het laatste woord nog niet gesproken. Ze verklaren hun baas ronduit voor gek. Welk verstandig mens droogt voorns en baars? De handel geeft er geen dubbeltje voor. Ook de sardienvissers trekken hun neus ervoor op: voorn is voer voor katten en baars is niet te 'vreten' vanwege de 'graterigheid'. Waar begint Jongkees aan? Ook nu weer gaan de stemmen luid over de tafel.
'Hou eens effe stil, mannen,' vraagt een van de nieuwelingen. Een stoere kerel met een vuurrode kuif en sproeten op zijn neus.
'Waarom?' reageert Riekelt Govers wrevelig.
'Dat ik effe m'n handen vouw.' De nieuwe trekt de klep van zijn pet voor zijn ogen en zijn lippen prevelen. Het werd snel stil aan tafel en met grote ogen blikt iedereen naar die 'nieuwe'. Velen van hen zijn wel christelijk grootgebracht, maar zijn het bidden ontwend of zien er allang geen heil meer in.
'Amen,' zegt de kerel met de vuurrode kuif. Hij zet zijn petje weer recht. 'Eet smakelijk, mannen.'
En Riekelt reageert verbaasd: 'Verrek, bid jij?'
'Dat zie je. Jij niet?' Hij pakt een snee brood uit het trommeltje en neemt er een hap uit.
'Je denkt toch niet dat ik mesjokke ben.'
'Vind je?'
'Ja, dat vind ik.' Riekelt windt zich op. 'Bidden is voor een ouwe kerel die er geen gat meer in ziet.'
De nieuwe gaat er niet op in, eet rustig zijn mond leeg, spoelt

er een slok koffie achteraan en zegt dan met een koel lachje: 'Ik ben nog lang geen ouwe kerel, al is mijn kindertijd dan voorbij.'

'Steek maar in je zak,' lacht Aage, een visroker. Riekelt, een zuurpruim en stinkend jaloers bovendien, en dat alleen omdat Luit het zo goed met Jongkees kan vinden of Jongkees met Luit?

'Of zit je in nood?' Riekelt houdt aan, hij kan dat 'vreemd' volk maar moeilijk zetten, waar is het goed voor, en als het even tegenzit, straks zit hij zonder werk.

Een spontane lach: 'Zie ik eruit als een man in nood? Kom op man, een mens mag bidden en dankbaar zijn voor het goeie eten, en als het je niet aanstaat kijk je een andere kant op.'

Gelijk heeft hij. Opeens is iedereen het ermee eens, van bidden wordt een mens niet slechter.

'Ik vind het kinderachtig voor een grote kerel,' houdt Riekelt vol: 'Handjes vouwen, ogies toe.'

De vuurrode kuif knikt: 'Daar verschillen wij dan in, maat.'

Herre Wierstra begrijpt het inderdaad. Zelf was hij ook een zondaar, maar heeft op tijd zijn rok gekeerd. Maar hij past ervoor op om dat zomaar ieder aan zijn neus te hangen.

'Wat bedoel je?' Riekelt knijpt zijn ogen een beetje toe. Opeens is hij op zijn hoede.

'Dat jij misschien van de 'heidenen' afstamt en te stom bent om het te begrijpen,' gooit Giel Blom er een woordje tussen. Hij heeft direct de lachers op zijn hand: wordt Riekelt er daar eventjes tussen genomen.

'Ach vent, stik,' grauwt Riekert richting Giel.

Met een knipoog zegt Giel meteen: 'Eerst u, dan ik.' Giel heeft altijd wel een spottend weerwoord.

Riekelt komt met een kwaaie kop half overeind.

'Wat let me, man?'

'Je neus tegen me blote togus-an,' rijmt Giel onverstoorbaar. De mannen vallen tegen elkaar van het lachen. Riekelt die voelt dat hij tegen zoveel eensgezindheid niet op kan, houdt nu wijselijk zijn mond.

Het drogen van voorns en baars komt weer ter sprake, en opnieuw vragen de kerels zich af: wie heeft Jongkees toch zo gek gekregen om met die handel te beginnen? Niemand heeft er vertrouwen in, geen roker of zouter. Jongkees blijkbaar wel, anders had hij die drogers niet in dienst genomen. Jawel, vier man uit Friesland. Daar schijnen ze dat 'spul' te drogen en wordt het nog goed verkocht ook. Witvis, waar ieder hier zijn neus voor optrekt. Hier raak je dat spul aan de straatstenen niet kwijt. Menig handelaar raadde het Jongkees af. Hij kon zich beter houden bij makreel, bokking en sardien. Daar was Jongkees senior in zijn tijd groot mee geworden en na de fusie met Munsters had het junior ook bepaald geen windeieren gelegd.

Maar Jasper liet zich niet ompraten Die snuiter heeft wel vaker van die rare bokkensprongen gemaakt. Na jaren van stilte rondom Truida Lanting stak plotseling de roddel de kop op, dat Jasper Jongkees hierin niet vrijuit gaat. Zeker weten ze het niet, maar langzamerhand is iedereen daar wel van overtuigd. Jongkees en zijn vrouw gaan stoïcijns aan die praatjes voorbij, en ook de familie Lanting laat zich de tong niet schrapen.

Riekelt huilt net zo hard mee met de wolven in het bos, maar bij hem kwam nog iets anders om de hoek kijken. Iets dat hem niet zint en dat hem wrevelig en jaloers maakt. Amper een jaar geleden kwam Luit Lanting in dienst van de rokerij. Nadat zijn vader Hannes met pensioen is gegaan, heeft Jongkees Luit als eerste knecht aangesteld. Dat nieuws sloeg in als een bom. Ieder moest dat even verwerken, en zeker Riekelt. Luit Lanting was vanwege zijn gedrag van de scheepswerf getrapt en op voorspraak en strooplikkerij van zijn pa hier binnen gepraat. En nu in een mum van tijd eerste knecht, terwijl een ander daarvoor minstens drie jaar in de praktijk moest meelopen. Of zou het verband houden met die praatjes over Jongkees en dat kind van Truida Lanting. Truida werkt nog steeds in het streekziekenhuis en komt om het weekend thuis. Haar kind is bij Luit en Guurtje Lanting in huis. Truida is een mooie en lieve meid, en Riekelt heeft weleens met de gedachte gespeeld: Als ze mijn vrouw zou willen worden, neem ik dat kind op de koop toe. Zo dachten er nog wel een paar, maar Truida wees hen vriendelijk maar beslist af.

Intussen babbelt Luit Lanting, sinds kort eerste knecht, honderduit met die nieuwe met z'n rooie kuif als een kalkoense haan. Ze hebben hun mond vol over Jongkees' nieuwe plan. Riekelt doet niet mee aan het gesprek, kijkt bokkig uit het raam. Op het terrein ziet hij een paar viskopers die hun handeltje komen ophalen, makreel en bokking. Daar is nog een aardig centje in te verdienen en sardien spant helemaal de kroon vandaag de dag. Riekelt spitst zijn oren: waar heeft die nieuwe het met Luit over?
'Wat kennen we elkaar eigenlijk, Lanting? Maar neem van mij aan: het leven is een moeilijk bedrijf. Alleen maar teleurstellingen die je moet verwerken en wat voorbij is, is voorbij. Omkijken heeft geen zin.'
Luit trommelt met zijn vingers op de tafel. Oud zeer snijdt door hem heen. Scheepswerktuigkundige kan hij wel vergeten. Werkman is hij, in een visrokerij. Hij, Luit Lanting. Precies het baantje waarop hij altijd afgaf. Nu zit-ie in een grijze stofjas aan tafel en deelt de lakens uit. En geen moment vergeet hij dat hij dat heeft te danken aan zijn vader en welwillende medewerking van Jasper Jongkees, die het wel met hem wilde proberen.
Tot Luits grote opluchting was het nooit tot een aanklacht door Van Ommen van de scheepswerf gekomen. Met koele onverschilligheid werkte Luit dan nu in de rokerij. Waar moest hij anders naartoe? Hij weet ook niet of hij Jasper wel zo dankbaar is dat hij hem tot eerste knecht heeft bevorderd. Hij mag dan wel in een grijze jas aan tafel zitten en de lakens uitdelen aan het werkvolk, maar de ouderen kijken hem met een meewarig lachje op hun gezicht aan: We weten het beter dan jij, maar vooruit, we doen alsof. Hun houding bezeert hem, al weet hij dat ze gelijk hebben. Hij wordt er onrustig

van, zo erg zelfs dat hij thuis om de minste geringste kleinigheid Guurtje afsnauwt. Als ze hem vraagt wat hij in hemelsnaam mankeert, kan hij zichzelf wel voor de kop slaan. Dan loopt hij haastig naar buiten om in de koele avondlucht wat te kalmeren.

En nu schopt dat roodgekuifde heerschap hem ongedacht tegen het zere been. Omkijken heeft geen zin. Zit daar een kern van waarheid in? Heeft die kerel gelijk? Kijkt Luit te veel achterom, pleit hij zichzelf vrij en reageert hij zijn fouten op Guurtje af?

Zijn vader maakt zich zorgen over Guurtje. 'Is het wel goed met je vrouw, ze ziet de laatste tijd zo wit.'

Hij haalt zijn schouders op. 'Guurtje? Niet dat ik weet.' Ze kregen weer mot gisteravond, Guurtje en hij. Ze begon weer over een tweede kind.

'Ik begin er niet-an,' had Luit gegromd. 'Je kent de reden, hou er toch over op.'

Een por tegen zijn schouder: 'Blijf je erbij, maat, ik vroeg je wat.' Da's die rooie.

Wat vroeg die knaap?

'Zou hier brood te verdienen zijn voor een visventer?'

'Ben jij visventer?'

'Geweest. Ik moest door omstandigheden afhaken, maar in loondienst is eigenlijk niks voor mij.'

'Da's leuk voor Jongkees,' Riekelt bemoeit zich er wat smalend mee.

'En ga jij hem dat eventjes vertellen?' Die nieuwe is niet bang. Riekelt stuift op: 'Ik ben geen verrajer.'

Nee, denkt Luit, maar wel een uitgekookte smiecht. Mijn vader moest ook van meesterknecht naar de inpakafdeling. Al moet Luit toegeven dat Jongkees hem goed heeft behandeld. En Truida ook, niet te vergeten.

Riekelt schuift wat dichterbij en voorziet 'die rooie' ongevraagd van inlichtingen.

'Ik wil m'n oom weleens vragen. Die zit al jaren in de handel.'
'In zeevis?'

'Nee, in stekelbaarsies, nou goed.'

Als op ingeving vraagt Riekelt: 'Je hebt toch wel een ventvergunning?'

Iedereen luistert nu met gespitste oren. Waar koerst die knaap op af? Maar de rooie glimlacht naar Riekelt en deelt een vriendelijke 'poeier' uit.

'Nee, alleen m'n trouwboekie.' En zich naar Riekelt toebuigend: 'Da's gelijk mijn rijbewijs, snap-ie?'

Er wordt schaterend gelachen. 'Steek maar weer je zak, Riekelt.'

Riekelt bijt fel van zich af. Daar maakt Luit zich zorgen over. Riekelt moet niet over zijn toeren raken. Luit wil geen onrust op de werkvloer.

Hij sust: 'Kom, kom, Riekelt, je kunt toch wel een stootje hebben? Je oom zit toch in de gerookte vis?'

Een honend lachje van Riekelt is zijn deel. 'En da's geen zeevis?' Smalend vervolgt Riekelt: 'Waar zit je kennis, maat? En dat mag zich eerste knecht noemen, en ook nog het rechterhandje van Jongkees. Bevoorrechte positie, hoor, en dat in zo'n korte tijd, Lanting?'

Hoe handig weet Riekelt de aandacht van zichzelf af te leiden. Nu zijn alle ogen op Luit gericht. Daar heb je het al. Een inpakker haakt er direct op in: 'Ja, nu Riekelt het zegt. Daar heb ik nooit bij stil gestaan. Vertel eens, Luit, hoe heb je dat zo snel voor elkaar gekregen?'

Maar Giel Blom, die stilletjes nog steeds op Mijntje hoopt, neemt het voor Luit op.

'Toe jochie, laat een ieder zich bij zijn eigen zakies houden.'

'Kom jongens, geen mot, gebruik jullie verstand.' Da's die rooie weer. Hij heeft een tikkeltje spijt dat hij over een viswijk is begonnen. Zo te horen had hij beter zijn mond kunnen houden.

'Waarom? Voor die daar?' grauwt Riekelt.

De bel gaat, voorbij is de schaft. Luit komt overeind en deelt zijn orders uit. 'Aage, die partij bokking moet er vanochtend nog door. Doe maar de achterste rookkast.'

'Die twee volle kuipen, en dat in m'n eentje?' Aage schudt zijn hoofd. 'Dat lukt me niet alleen.'

Luit beslist dan: 'Wessel moet jou dan maar helpen.'

'Kan niet,' roept Wessel.

'En waarom niet?'

'Alle bestellingen moeten vanmiddag de deur uit.'

'Wat? Dat had gisteren al gemoeten!'

'Hoef je mij niet te vertellen.' Inderdaad, Wessel is inpakker, die weet wel hoe de vlag ervoor staat, en toveren kan hij niet.

'Als jij dan met Aage meegaat,' wendt hij zich vragend tot Riekelt.

'Ik?' Riekelt blijft zitten en toont geen haast.

'Ja, jij!' 't Is dat-ie met die vent moet samenwerken, maar anders...

'Waarom ik?' vraagt Riekert sarrend.

Luit bijt op zijn lippen. Zou je hem niet? Altijd met dwars hout gooien. 'Omdat ik het zeg.'

Lanting staat nu op zijn strepen. Lanting, het 'rechterhandje' van Jongkees. Hoe lang is het geleden dat hem – Riekelt – die eer te beurt viel. Nee, Lanting heeft zich er mooi ingewerkt en hem eruit. Hij kan die vent zijn bloed wel drinken. Onverschillig kijkt hij naar zijn 'baas' en smaalt: 'Ik heb met jou niks te schaften, Lanting.'

Luit voelt zijn bloed koken. 'Als ik je zeg...' Hij stopt, maar het is al te laat.

Tergend langzaam komt Riekelt overeind, zijn stekende ogen onafgebroken op Luit gericht. 'Je kunt wel zoveel zeggen, maar ik heb niks met jou te maken. Ik eerste knecht, jij eerste knecht. Ik door werkervaring, jij door mooipraat van je familie. Waar of niet?'

Het is Luit alsof hij een koude douche over zich heen krijgt. Er zit een kern van waarheid in Riekelts woorden. Dat weet Luit en dat weet Jongkees. Het ging in feite om Truida, wat toen niemand wist. Maar velen beginnen dat nu te vermoeden. Doodmoe opeens zegt hij: 'Je hebt gelijk, ik was het even vergeten.'

113

Riekelt smaalt met kwaadaardige bravoure: 'Daar heb je niet van terug, hè Lanting. Eerste knecht met kapsones. Je denkt zeker dat je me nog van a is een apie mot leren. Mis, we staan op gelijke voet.'

Luit heeft zichtbaar moeite dit te verwerken.

Riekelt ziet dat en snerpt luid: 'Nou zullen we eens zien wie hier aan het langste endje trekt.'

Maar voordat iemand erop verdacht is springt Giel naar voren, grijpt Riekelt in zijn kraag, sleurt hem bij Luit vandaan en snauwt wit van drift: 'En nu ophouden met je gejudas, Govers, of ik mik je in de pekelbak.'

En daar komt Jasper, opgeschrikt door het geschreeuw en lawaai, de trap van het kantoor afrennen. Bij het zien van al die roodverhitte koppen schreeuwt hij boven het rumoer uit: 'Zijn jullie nou helemaal! Subiet aan het werk.' Tegen Luit zegt hij: 'Kom even mee naar kantoor.' Bovengekomen wijst hij hem een stoel. 'Ga zitten en vertel. Wat is de reden van al dat spektakel?'

'Ach.' Luit haalt zijn schouders op. Hij heeft weinig zin op Jaspers vraag in te gaan. Voor het eerst vraagt zich af of hij wel geschikt is om leiding te geven. Daarom verschuilt hij zich achter: 'Het fijne weet ik er ook niet van.'

'Des te erger.' Hij voelt Jaspers borende blik op zich gericht. 'Je hoort te weten wat er zich op de werkvloer afspeelt. Daarvoor heb ik je eerste knecht gemaakt.'

Je liegt, schiet het door Luit heen. Dat heb je niet voor jezelf gedaan en ook niet om mij, maar om mijn vader. En bovenal voor Truida, omdat je je schuldig voelt tegenover haar en je kind.

'Ik begrijp het wel,' toont Jasper zich ineens mild. 'Riekelt is toen, tijdens die fusie met Munsters, door dik en dun achter me blijven staan. Tot ergernis van velen bleef hij mij steunen. Riekelt werd eerste knecht, jawel. Laten we eerlijk zijn, afgezien van die fusie, heeft hij dat ook al die jaren dat hij hier werkte eerlijk verdiend. En nu is hij op gelijke voet gesteld met jou. Jij die hier op een dag verslagen kwam binnenzeilen met dat akkefietje op de scheepswerf net achter de rug. Toch ben je in korte tijd eerste knecht geworden. Natuurlijk voelt hij zich achteruit gedrongen. Hij ziet in jou en Giel een koppel samenzweerders die het op hem gemunt heeft.'

'Tja,' zucht Luit. 'Er zit een kern van waarheid in. Luit Lanting, die feitelijk in een vergaarbak van mislukkelingen thuishoort, is toch hier eerste knecht in een rokerij.'

Jasper haalt zijn schouders op. 'Weet wel, de ware meesterknecht zit hier en die beslist.'

'Ja, en daar heb je waarachtig geen bril voor nodig,' grinnikt Luit. 'Maar wat Riekelt betreft, beroerd blijft het.'

Jasper zwaait achteloos met zijn hand. 'Dat waait wel over.'

'Ik help het je wensen, maar het zit Riekelt hoog.'

'Genoeg over Riekelt,' kapt Jasper af. 'Als het hem hier niet meer bevalt kan-ie gaan, ik houd hem niet tegen.'

Jasper verschuift wat paperassen op zijn bureau. Hij gooit het opeens over een andere boeg en vraagt: 'Wat denk jij van die vier nieuwe lui?'

'Dat vraag je mij?' is Luits verbaasde reactie. Wordt Jasper zomaar weer vertrouwelijk? Het is al wel vaker gebeurd dat Jasper tijdens hun gesprekken opeens stilletjes voor zich uitstaarde en vroeg: 'Vertel eens, hoe gaat het met Truida?' Steeds schrikt Luit van deze vraag. En altijd is zijn antwoord: 'Goed.' Truida, dát is degene die hen bindt.

'En met het kind?'

Het kind. Jaspers dochter, waarover niet gepraat mocht worden.

'Ook goed.'

Jasper brengt Luit weer in de realiteit. 'Wat denk je van die lui, wees eerlijk.'

'Dat ik geen heil zie in het drogen van witvis.'

Jasper fronst z'n wenkbrauwen en snauwt haast: 'Da's mijn zaak. Nogmaals, wat denk je van die lui?'

'Ze weten wat werken is, vooral die rooie.'

Een kort lachje: 'Tja, we zijn niet allemaal als gelukskinderen geboren.' Nee, inderdaad, denkt Luit bij zichzelf. We heten niet allemaal Jasper Jongkees, die eigenaar is van twee rokerijen, en met een vrouw trouwde die bulkte van het geld. Maar Jasper kent zijn pijn. Luit heeft Jaspers vrouw een paar maal hier op het kantoor ontmoet. Zijn indruk was dat het een lieve vrouw was: een zacht gezicht en een ietwat trieste oogopslag. Maar hij wist: deze vrouw was niet de weelde en lust voor een man als Jasper. Die vrouw is Truida. Maar de dingen die een stempel op je leven drukken spreek je niet uit. Vreemd dat je, eenmaal volwassen, zo weinig meer van elkaar weet, ook al ben je als kinderen samen opgegroeid. Jeanne, Jasper, Truida. Feitelijk stakkers, alle drie.

Jasper praat ondertussen door.

'Ik zie wel heil in het drogen van witvis. Wat wij hier kattenvoer vinden, daar betalen ze in het buitenland goudgeld voor.'

'Welk buitenland?' Jasper zoekt het wel heel ver.

'Rusland, Frankrijk...' Jasper wordt enthousiast, zijn stem krijgt een tevreden klank. Zijn fantasie bouwt verder: werken, nog meer geld verdienen, het bedrijf nog verder uitbreiden. Hij vertelt goed. Luit luistert en komt tot de conclusie: 'Het is mooi verteld, maar ik moet eerst zien en dan geloven.'

'Je zult het zien,' weet Jasper enthousiast. Niet voor niks heb ik een droogkast aangeschaft en vier lui gecontracteerd die het in hun vingers hebben.'

Zeker die visdrogers uit Friesland die in dit vak zijn grootgebracht. Maar Luit weet al dat die rooie andere plannen in zijn kop heeft. Die heeft een ventvergunning op zak en hoort Riekelt uit over een viswijk. En hij zegt het Jasper.

Even kijkt Jasper hem vorsend aan, dan haalt hij zijn schouders op en zegt: 'Nou en? Het is zijn goed recht. Als-ie zijn proeftijd maar uitdient. Zo niet, dan leert hij me van een andere kant kennen.'

Wacht even, da's andere taal. Je kunt Jasper inderdaad beter hebben als vriend dan als vijand. Luit moet even grinniken. Jasper is feitelijk zijn zwager. Ook Luit moet hem te vriend houden.

116

Ze wegen samen het wel en wee wat de witvis aangaat tegen elkaar af. Jasper het wel, hij het wee. Opeens vraagt Jasper: 'Zou je iets voor een compagnonschap voelen?'
Verbluft kijkt Luit hem aan. Is dat Jasper die dat zegt? Aarzelend zegt hij: 'Je meent het?'
'Anders zei ik het niet.' Jasper is als vanouds zeker van zijn zaak.
'Eerst maar eens van dattum.' Luit maakt het bekende gebaar van duim en wijsvinger.
'Natuurlijk. Daar is altijd een mouw aan te passen.'
Jasper weet overal een mouw aan te passen. Hij is geen onbekende in de financiële wereld, overal invloedrijke vrienden. Maar Luit zegt bedachtzaam: 'Ik moet er eerst eens goed over nadenken.'
'Goed, denk erover.' Hij ziet het ernstige gezicht van Luit en zegt: 'Ik zie het al, je hebt er geen fiducie in.'
'Niet erg,' geeft Luit toe. 'De branche is mij vreemd. Wat weten wij van witvis, behalve dat het een en al graat is. Jij denkt er anders over, maar mij is het risico te groot.'
Je zou die Luit! Komt Jasper met een prachtvoorstel aan waar een ander zijn vingers bij zou aflikken, maar Luit... Vroeger was-ie al de meest zwijgzame en kon hij behoorlijk in zichzelf gekeerd zijn. Maar onrecht kon-ie maar moeilijk verdragen. Als het hem niet zinde sloeg hij er direct op los. Enfin, Bart van Ommen kan daarover meepraten.
Kijk hem daar nu zitten of hij eerst al zijn knopen moet tellen. Nors valt Jasper uit: 'Ja, als je eerst elk gevoel of idee gaat beredeneren, durf je nooit wat.'
Niet durven? Denkt Jasper dat? Nee, dat heeft er niets mee te maken. Het overvalt hem gewoon. Hij moet daar eerst in alle rust over nadenken, er met zijn vader over praten, en dan de centen...
Autoritair klinkt de stem van Jasper alweer: 'Ja, hoor eens Lanting, graag of niet. Je zegt het maar.'
Weg is het moment van vertrouwen. Jasper is weer de baas en Luit de knecht, al vindt men dan dat Jongkees hem voor-

trekt. Voor het eerst sinds hij hier in de rokerij werkt, vraagt hij zich af: geeft Jasper hem wel op een eerlijke manier de kans zich tegenover hem te bewijzen?

Compagnon, compagnonschap, het tolt door zijn kop. Maar hij deinst voor het aanbod terug. Het maakt hem zelfs een beetje angstig en besluiteloos. Nogmaals zegt hij: 'Het overvalt me, ik moet er eerst goed over nadenken.'

Jaspers fronst zijn wenkbrauwen: 'Nou, laten we zeggen: twee maanden en geen dag langer.'

De telefoon gaat over en dat breekt de spanning. 'Met Jongkees. Wat?' Zijn gezicht verstrakt. Hij legt de hoorn weer op de haak en wendt zich tot Luit: 'Da's je vader. Of je direct thuis wilt komen, Guurtje is niet goed.'

HOOFDSTUK 8

'Een glas fris, Luit?' vraagt Truida en ze schenkt op voorhand het glas al vol. Als gebiologeerd kijkt hij ernaar. Zijn gedachten fladderen als wilde vogels door een kooi. Zijn leven is in twee periodes uiteengevallen: toen Guurtje nog leefde, en nu, met Truida over de vloer. Truida heeft haar baan in het ziekenhuis opgegeven, en voor hij goed en wel besefte wat daar de reden voor was, was ze bij hem ingetrokken. Op zijn verbaasde blik had ze gezegd: 'Geen hulp of huishoudster over de vloer zolang jij nog een ongetrouwde zuster hebt.' Lachend had ze hem in de ogen gekeken en een kus op zijn wang gedrukt. Hij was nog duizelig van al die condoleances, maar voelde hoe hij bloosde. Het was zo spontaan, zo fijn begrepen van zijn zus. Ze kon hem niet beter troosten dan door zo te handelen.

'Lieve zus,' was zijn gesmoorde reactie. Dat was nou Truida, 'de schandvlek' van de familie. Ontroerd had hij zich afgewend. Truida reddert nu zijn huishouden en heeft de kinderen onder haar hoede genomen. Truida, wier verhouding met Jasper Jongkees niet zonder gevolgen bleef... Hanneke.

'Hier, neem een boterbiesje.' Ze duwt het trommeltje onder zijn neus, en vraagt hem op de man af: 'Zit je weer te piekeren?'

Lieve Truida, ze doet alles om zijn verdriet te verzachten.

Al is het niet eens verdriet, meer gewetenswroeging. Guurtje wenste met heel haar hart van hem nog een tweede kind. Hij wees dat telkens resoluut van de hand, gedachtig aan de vreselijke bevalling van Betsy, toen hij vreesde vrouw en kind te verliezen.

Dan drong ze zich tegen hem aan. 'Wie lijdt de pijn? Ik toch, niet jij.'

'Ik begin er niet meer aan, en de reden ken je,' antwoordde hij dan gewoonlijk nors.

Ze zweeg meestal een poosje, zei dan zachtjes: 'Je gunt me geen tweede kind.'

'Daar gaat het niet om,' was zijn grauw. 'Ik leg jouw leven niet in de waagschaal, daarvoor is het risico mij te groot, en zeur niet langer.'

Guurtje was een vrouw om kinderen te baren, maar de angst in hem sloeg alles.

Luit tuurt naar Guurtjes foto die naast de schoorsteenmantel hangt. Ze is een goede vrouw voor hem geweest en een lieve moeder voor Betsy. Betsy, met d'r bos blonde krullen en stevige knuisten. Een dame met een eigen willetje. Voor haar is en blijft Truida tante. Hoewel hij al een paar maal heeft gezegd: 'Zeg maar mama, net als Hanneke.' Dan schudt Betsy haar krullenbol, keert zich koppig van hem af en zegt: 'Nietes, tante.'

Hij neemt een slok fris en hij denkt aan Jeanne, bij wie hij sinds kort over de vloer komt, vooral als Jasper op één van zijn buitenlandse reizen is. Jasper heeft hem de leiding van het bedrijf toevertrouwd, de rokerij. Hij is nog steeds geen compagnon geworden, al biedt Jasper hem financiële steun aan. Jasper weet waar hij voor het geld moet lopen en het zo mooi kan vertellen, scheldt hem goedsmoeds voor lafaard uit. Met een pijnlijk lachje incasseert Luit dat. 'Denk toch eens in het groot man! Dertigduizend pop, dat kost je heus de kop niet. Denk ook eens aan de trotse voldoening als het werk slaagt en vruchten afwerpt.'

Maar Jasper kan makkelijk zo praten, zijn leven is zo anders dan het zijne. Jasper denkt en handelt in het groot, hij ondergaat winst en verlies als een sensatie. Dan is hij op zijn scherpst. Hij ontleedt alles tot in de kleinste details en ziet dan kans tegenover zijn concurrent dubbel zo hard terug te slaan. Jasper is een doordouwer, een vechter.

Luit had in zijn jonge jaren ook zo zijn idealen, maar het leven komt zo anders. Zijn eigen idealen is hij allang verloren, zeker na Guurtjes overlijden.

'Daar heb je vader en moeder.' Truida kijkt uit het raam en hij kijkt mee. Hij hecht zijn blik aan zijn ouders die over het tuinpad naderbij komen. Vader wat dieper gebogen in zijn schouders, moeder Bets nog even kittig als altijd, al zijn d'r haren nu grijs. Hij vraagt verwonderd aan Truida: 'Wat moeten die hier?' Zijn ouders zijn geen visitelopers, ze zijn honkvast. Meestal gaan Truida en hij bij hen op bezoek.

'Ze komen praten over de winkel,' weet Truida.

Ze wisselen een blik. De winkel die goed zijn geld opbracht, al hadden ze er veel voor moeten doen, en nog meer laten. Maar de handel loopt nu met rasse schreden terug. Het lijkt alsof de klantjes geen zuur meer lusten. Ze kopen liever verse platvis aan de kar bij Herre Wiersma, die lange schrale rooie die meekwam met de visdrogers uit Friesland. Hij had een ventvergunning in zijn achterzak, en zodra hij zijn kans schoon zag nam hij met wat geld en goeie woorden de venterswijk van Riekelts oom Govers over. Tot woede en ergernis van Jasper Jongkees keerde Herre de visdrogerij de rug toe en klauterde fluitend en welgemoed op de bakfiets.

Ze horen de achterdeur en vader die zijn voeten op de mat veegt. Moeder gunt zich daar geen tijd voor. Met haar jas nog aan stiefelt ze naar binnen, rechtstreeks door naar de tafel. Ze gaat zitten, kijkt even naar haar zoon en valt direct fel uit: 'Wat is dat voor grap om Herre Wiersma op ons dak te sturen?'

Vader komt binnen. Die hangt zijn pet aan de knop van de stoel en kijkt even naar moeder. 'Trek eerst je jas eens uit.'

'Zal ik eerst koffie zetten, moe?' Moeder Bets gaat er niet op in. Ze knoopt haar jas los en laat hem onverschillig achter zich op de stoel glijden.

'Voor een scheet en drie knikkers wil-ie de winkel.' En op Luits verwonderde blik: 'Ja, je hoort het goed.'

Hij begrijpt het al. Herres magere aanbod heeft z'n moeder in alle staten gebracht.

Truida die intussen koffie heeft gezet, gaat er lachend tegenin. 'Kom kom, moe, zie dat toch niet als een ramp. We hebben alle dagen nog te eten hoor. Kijk eens, een lekker vers bakkie.'

Bets kijkt naar haar dochter, die zo geheel anders is dan die

121

ongezeglijke Mijntje die d'r kop hoog heeft zitten. Maar Truida is ongetrouwd en heeft een kind van een getrouwde man. Heeft zij – Bets – in haar idealen te hoog gegrepen? Herre Wiersma, die rooie Fries, kijkt met meer dan gewone belangstelling naar Truida. Hij heeft Bets toevertrouwd dat zijn vader en broer beide eigenaar zijn van een viswinkel, een in Sneek, de ander in Harlingen.

Met een begrijpend lachje had Bets gezegd: 'En nu wil jij ook een viswinkel, liefst met Truida erbij.'

Lachend had Herre geantwoord: 'Als dat zou kunnen.'

Ze ziet Truida's lief gezicht van dichtbij. Vriendelijke glans in de ogen, rode mond, de ronde schouders en volblanke armen. Opeens flitst het door haar heen: het is Truida die Wiersma op haar dak stuurde, niet Luit!

'Dus jij bent het die ons dat flikte, niet Luit.'

'Nou en.' Schouderophalend zei Truida: 'Wat maakt dat uit? Luit of ik. Herre kwam gewoon praten.'

'Ja, ja, praten, en hoe?' Hoog schiet Bets stem uit: 'Hij dacht zeker: voor een appel en een ei zit ik op rozen.'

'Of doornen,' doet Hannes een duit in het zakje. 'Jij denkt toch zeker niet dat we ooit het volle pond voor die winkel krijgen? Wees toch wijzer.'

'Krijgen, krijgen?' Prompt stuift ze weer op: 'Kregen wij het soms?' En ze denkt terug aan de maanden dat ze met hen allen de schouders eronder moesten zetten. Ze wijst op haar voorhoofd: 'Ja, als ik gek ben.'

'Gek, jij?' Hannes schiet in de lach. 'Integendeel, je bent erg bij de pinken. Maar je vergeet dat het nu op verstandig redeneren aankomt. Zo slecht was Wiersma's bod nou ook weer niet.'

Bets bolt haar lippen. 'Ja, en dan zeker vragen of wij garant willen staan voor een kleine hypotheek. Da's de adder onder het gras.'

'Mens, mens, wat draaf je weer door. Mag ik je even helpen herinneren? Als indertijd Jasper Jongkees niet... Enfin, vul zelf maar in.'

Tussen Luit en Hannes schiet een blik van begrijpen. Jasper gaf Truida een maandelijkse financiële tegemoetkoming wat de familie ook geen windeieren legde. Daardoor viel de zorg voor de winkel ook niet zo zwaar als gekund had.

Hannes kijkt opzij naar zijn kleindochter. Hanneke lijkt precies op Jasper.

Bets bindt wat in. Haar blik glijdt ook van de een naar de ander. Ze beseft heel goed de economische teruggang in de winkel, waar niet tegenop te boksen is.

'Nou, vooruit,' verzucht ze dan. 'Laat die Wiersma nog maar 'ns opdraven, misschien dat we het eens worden.'

Hannes knikt tevreden. Dat is tenminste verstandige taal. Met een lachje van voldoening – want er is heel wat voor nodig om Bets over de streep te trekken – zegt hij: 'We laten hem aan het woord, dan komt-ie wel.' Hannes heeft het bij de eerste ontmoeting met Wiersma direct gezien: 'Da's d'r een van de daad, hij meent wat hij zegt en ziet toekomst in de zaak.' Dat hij de winkel voor zo min mogelijk in handen probeert te krijgen is zijn goed recht. Het is tenslotte een zaak van loven en bieden. Als Bets nou een beetje d'r grote waffel houdt, dan komen ze precies waar Hannes wezen wil. Geen zorgen meer en een rustige oude dag. De centjes die overblijven zijn voor Barendje. Voor hem moet ook gezorgd zijn. Wel gaat het Hannes aan zijn hart dat de winkel nu weg moet. Guurtje was de belangrijkste schakel in het geheel geweest. Zij was de vrouw op de achtergrond en hun aller houvast. Bets heeft vanaf het begin argwaan gehad over heel die onderneming. Enfin, maar eens zien hoe alles afloopt.

Truida doet nog een koffieronde en trakteert er een boter-biesje bij. Luit vraagt tussen twee slokken door: 'Wat Wiersma betreft, bepraten we het hier of bij jullie thuis?' En met een glimlach: 'De zaak is tenslotte een beetje van ons allemaal.'

'Allemaal, jawel, maar wie stond er altijd achter de toon-bank?' komt Bets vinnig.

'En wie stak al het geld van zijn overuren erin? Dat was Luit.'

Hannes laat zich ook horen.

Hij strijkt zijn kleindochter Hanneke even door haar haren. Hanneke en Betsy, krullenkoppen alletwee. Truida klaagt er altijd over: 'Ik krijg er de kam amper door.' Hanneke leunt gemoedelijk tegen hem aan. Hanneke Lanting, het 'onechte' kind van Truida. Hanneke zelf vangt soms hier en daar een woord op. Dan komt ze naar Hannes toe om een antwoord. Maar hij weet niet goed hoe daar antwoord op te geven. Dat is toch iets waar je met een jong kind niet over kunt praten? Later misschien, als ze de dingen beter kan vatten.

'Ga eens op je eigen benen staan,' roept Truida haar dochtertje tot orde. Hanneke weet met haar vleiende maniertjes haar grootvader altijd om haar vinger te winden. Opa gaat daar volop genietend graag in mee. De kleine Betsy is bij Hanneke vergeleken maar een kleine 'kat'. Ze heeft iets mannelijks verbetens over zich en weet zwakke karakters naar haar hand te zetten. Ze haalt anderen over tot allerlei streken, waar ze zelf nooit op zouden komen. Maar ze werpt zich op voor Hanneke, die te verlegen is voor zichzelf op te komen. Ze vertroetelt haar nichtje als een moedertje, hoewel ze ook zonder problemen Hanneke tegen Truida kan ophitsen als ze iets zegt wat de 'dame' niet bevalt. Dan is het al gauw van: 'Pûh, je bent toch lekker mijn moeder niet.'

Betsy heeft dezelfde harde stugge trots als moeder Bets.

'Laat hem maar bij jou thuis komen, Luit.' Bets ziet Wiersma toch als een lastig geval en probeert het zo op te lossen. Laten ze solidair zijn met z'n allen tegenover die rooie, die zo graag de winkel wil kopen. Hij is dan ook de enige in de buurt en dat weet hij, dus probeert hij er een slaatje uit te slaan.

'Waarom bij Luit?' reageert Truida en fronst haar wenkbrauwen. Ze voelt er weinig voor. Die paar keer dat Wiersma hier over de vloer kwam nam hij haar met meer belangstelling op dan haar lief was. Toen ze haar ergernis hierover tegen Luit luchtte, lachte hij gemoedelijk en zei: 'Daar kan ik niet kwaad over worden. Trouwens, je bent het aankijken nog waard, zus.'

'Ik hoor het al,' mopperde ze. 'Van jou heb ik geen enkele steun te verwachten.'

'Waarom zou ik? Hij mag je wel. Voorzover ik hem ken is het er eentje die voor zijn werk staat en donders goed weet wat hij wil.'

'Dat weet ik ook,' katte ze, maar het bloed sloeg in zware golven naar haar hoofd. Was ze bezig de herinnering aan Jasper ontrouw te worden?

'Je kunt ze niet allemaal haten om één, denk daar maar eens over na,' had Luit haar gewaarschuwd.

Maar daar wilde ze niet over nadenken. In haar hart koestert ze nog steeds Jasper, al is de hoop op een mogelijk samenzijn met hem welhaast gedoofd.

'Dan komen jullie er toch bij,' zegt Hannes. 'De kogel moet maar door de kerk, met de winkel wordt het toch niks meer.' Hij knijpt zijn lippen op elkaar. Hij voelt het als een blaam en vraagt zich af of hij dan toch in alles tekortgeschoten is? Hoe vaak heeft Bets hem dat voor zijn voeten gegooid: 'Ja, ja, Hannes Lanting, je kunt mooi praten, maar als wij er niet waren...'

Hij hoort Luit tegen Bets zeggen: 'Als de verkoop van de winkel rond komt, zitten vader en jij weer stevig in je slappe was.'

Bets gaat er met een tevreden lachje op in: 'Nou je het zegt.' Ze strijkt met een hand over het pluchen tafelkleed.

'Zo heb ik het nog niet bekeken.'

Dat zegt Bets wel, maar Truida denkt heel anders. Ze keert zich naar Luit en zegt: 'Nu krijg jij de kans om je bij Jongkees in te kopen.'

'Wat?' Een moment zit hij onthutst. Inkopen... hoe weet Truida dat...?

Bets voelt zich overvallen door die woorden van Truida. Ze stuift op: Hebben je ouders hierin zelf ook nog wat te zeggen?'

Truida zegt met een krampachtig lachje: 'Toe nou, moeder, 't is maar een voorstel.'

125

'Ja, ja,' knikt Bets met een veelzeggende blik op haar dochter. 'Jij en je broer, twee paar handen op een buik, dat was vroeger zo, da's nog zo. Maar ik laat me niet alles aanleunen.'

Die laatste woorden zijn Hannes net een tikkeltje te veel. Denkt niemand dan aan Barendje? Hij slaat z'n hand op tafel en hij valt grimmig uit: 'Ophouden met dat gezeur. Ik ben het meer dan zat. De een zegt dit, de ander dat. Hier wordt de huid al verkocht voor de beer geschoten is.' Dan zegt hij tegen zijn vrouw: 'Bets, trek je jas aan, we gaan.'

Al pruttelend trekt ze haar jas aan. Als Hannes zo praat, kan ze maar beter niks meer zeggen, weet ze.

Ze lopen terug over het tuinpad. Hannes, gebogen in zijn schouders, Bets ernaast.

Luit, die door het raam zijn ouders nakijkt, heeft het met zichzelf aan de stok. Hij wendt zich tot Truida en zegt: 'Waarom zei je dat nu?'

'Wat?'

'Houd je maar niet van de domme. Over het inkopen.'

'Nou, het lijkt me wel wat, jij als compagnon van Jasper Jongkees.'

'Daar is meer voor nodig.' Moeder heeft gelijk, Truida doet maar.

'Overal is een begin.'

'Ik moet het ook nog willen.'

'O, maar jij wil wel.'

Is dat zo? Jasper zei ook al: 'Een man die iets wil, een echte kerel, denkt in het groot.'

Daarover gedachtig, zegt hij tegen Truida wat hij al meer dan eens tegen Jasper zei: 'Het is mooi gezegd, maar ik moet er eerst over nadenken.'

'Doe dat,' antwoordt ze met een raadselachtig glimlachje. 'Dan ben je in de toekomst het mannetje. Meneer Lanting, nou, hoe klinkt dat?'

'Ach jij, eerst zien, dan geloven.' Jasper, een man die aantrekt en afstoot. Jasper, feitelijk zijn 'ongetrouwde' zwager. Zou

Jasper eronder lijden? Soms heeft hij het idee van wel.
Truida's lach vrolijk. Ze drukt een vluchtige kus op zijn wang.
'Ongelovige Thomas. Wil je nog een kop koffie? Het is jammer om het laatste restje weg te gooien.'

HOOFDSTUK 9

Bets staat voor het aanrecht en doet de afwas. De vaten-
kwast sliert door het schuimende sop, de druppels springen
hoog op tegen het raam en glijden als biggelende tranen
langs het glas naar beneden. De borden rammelen in het
afwaswater en de messen tikken tegen de binnenkant van het
afwasteiltje. Kwaad valt ze uit tegen Hannes, die rustig z'n
krantje zit te lezen.
'En jullie dreven toen allemaal je zin door, en naar mijn
mening werd niet gevraagd.'
O nee, denkt Hannes, daar begint het weer. Hij legt zijn krantje neer. Na het familieberaad waarbij Bets zich bewust afzijdig had gehouden, had Luit al het geld gekregen wat de verkoop van de winkel had opgebracht. Zo kon hij zich inkopen
bij Rokerij Jongkees. Na al die jaren van financiële steun
vormde de persoon van Jasper Jongkees nog altijd een doorn
in Bets vlees. En altijd als Truida's dochter Hanneke binnenkomt wordt ze daaraan herinnerd. Bets kan het verleden
maar niet vergeten.
'Kom, kom,' gaat Hannes er kalm tegen in. 'Niet zielig doen
nu. Je hield je wel afzijdig, maar je had ons allang geïnstru-
eerd: we doen dit, we doen dat, zus en zo. En dat het dan nu
anders loopt...'
'Omdat jullie allemaal op dat moment jullie zin doordreven.'
Pats, de kwast sliert weer door het teiltje.
Dat ergert hem. Altijd als dit precaire onderwerp weer ter
sprake komt heeft Bets het over 'dat moment'. Inmiddels is
dat wel vier jaar geleden. En nog steeds zaagt ze erover door.
Als ze zijn vrouw niet was... Maar Bets is en blijft Bets, de
vrouw met wie hij jaren geleden vol liefde en verwachting
naar het raadhuis ging. Bets die voor zijn nageslacht zorgde.
En nu is Luit alweer vier jaar compagnon van Jasper. Hij
neemt de zaken waar als Jasper voor zaken in het buitenland
is. 'Zet je pensioentje maar op de bank, vader. Met wat ik bij
Jasper verdien, kunnen we met z'n allen ruim leven.'

Het geld dat de verkoop van de winkel opleverde hebben ze op aanraden van Jasper in de rokerij gestoken. Dat brengt nu ruim zijn geld op. Dat weet Bets, maar ze is daar ziende blind voor. Weer dat gezeur over toen en die centen, je zou d'r af en toe... Narrig valt hij uit: 'Mens, hou er toch eens over op, strontziek word ik ervan. Allemaal zijn we er beter van geworden, en Luit nog het meest.'

Een ogenblik is Bets haar zekerheid kwijt. Het is waar wat Hannes zegt, ze zijn er allemaal beter van geworden. De band tussen hen en Jongkees is daardoor ook wat strakker aangehaald. Jasper en zijn vrouw zijn zelfs op uitnodiging van Luit op bezoek geweest, waarbij ook zij en Hannes aanwezig waren. Truida had, weliswaar met neergeslagen ogen, hen allen van koffie en wijn voorzien. Jasper was een geanimeerd gesprek begonnen met Hannes, maar Jeanne had wat koeltjes, hoewel vriendelijk, de 'gastvrouw' bedankt voor de koffie en het gebak. Bets had wel aangevoeld: Tussen die twee vrouwen staat nog steeds de herinnering, hen door een derde aangedaan. Luit had haar zachtjes in het oor gefluisterd: 'Doe me een lol, moeder, trek eens een vriendelijker gezicht.'

'Onzin,' had ze gebelgd teruggefluisterd: 'Zo kijk ik altijd.' Wat drommel, ze hoefde niet alles van dat jong te slikken, ook al liep hij dan nu in een pak met witte boord en stropdas, en zegt het werkvolk op de rokerij 'meneer' tegen hem. Maar ze waren nog niet thuis of ook Hannes had gezegd: 'Kijk voortaan eens wat vrolijker. Je trok een gezicht als een oorwurm.'

Of ze Luit hoorde! Ze stoof op: 'Ik hou niet van paaien en stroopsmeren, dat weet je.' Hannes hing zijn jas aan de kapstok, keek haar grinnikend aan en zei: 'En weet je wat ik weet? Dat jij te veel achterom kijkt en te weinig vooruit. Vergeten en vergeven past in deze situatie beter.'

Ja, zo spreekt Hannes en praat Luit. Mijntje haalt haar schouders erover op, en Truida? Die zegt niks. Zou Truida heel dat gebeuren naar de achtergrond geschoven hebben? Ze laat zich er nooit over uit.

Zwijgend wast Bets verder af, haar gedachten draaien om Truida. Op aanraden van Luit had Truida Herre Wiersma voor zondag uitgenodigd.

'Graag,' had Wiersma gezegd, 'aangenomen, maar wel voor een volgende keer. Op zondagochtend ga ik naar de kerk, en toevallig heb ik voor vanmiddag een afspraak in Friesland.' Bets ziet Herre Wiersma voor zich, een opstandige rooie kuif, blauwe kijkers, sproeten op zijn neus en altijd een opgewekt praatje. Op zaterdag komt hij in de winkel handen tekort om iedereen te bedienen. Sinds kort helpt Giel Blom hem daarom 's zaterdags een handje. En Hannes zegt over Wiersma: 'Petje af voor die knul. Wat ons niet lukte, lukt hem. Hij slaat goud uit die zaak.'

Giel Blom draait nog steeds om Mijntje heen. Er gaat geen zondag voorbij of hij komt met een of andere smoes bij hen aanwippen. Maar Mijntje laat zich niet zien of horen.

Mijntje draagt haar kop te hoog. Dat maakt je als moeder angstig: wie hoog kijkt kan laag vallen. En zal Mijntje net als Truida...? Ze moet er niet aan denken. Eerst Luit ontslagen. Toen de schande van Truida, waarbij zij in haar woedend verdriet op het punt had gestaan Truida voorgoed het huis te ontzeggen. Gelukkig had Hannes haar met een dreigende blik tot stilzwijgen gedwongen. Hij vond dat een ieder die de staf over Truida brak, de hand eerst maar eens in eigen boezem moest steken.

Onthutst om wat Hannes zei, bond ze in. Maar zoals het gegaan is met de centen van de winkel, zit haar nog steeds hoog. Niet dat ze het Luit niet gunde, maar toch. Al dat geld was nu in de rokerij gestoken, op advies van Jasper die met zijn rappe tong Luit van alles voorspiegelde. Een linkmichel, die Jongkees. Wat hij de familie met de rechterhand geeft, haalt hij met de linker terug. Ook al loopt Luit in de rokerij erbij als een meneertje en is Luit 'waarnemend directeur', in Bets knaagt nog steeds het wantrouwen.

Zo, nog even de vaat afdrogen, dan omkleden en met Truida naar de lappenmarkt, om een voordelig stofje op de kop te tikken.

'Moet dat nu?' had ze Truida gevraagd. 'De lappenmarkt? Luit brengt vandaag de dag toch een aardig centje thuis.'

'Dat staat erbuiten, moeder,' had Truida stroef gereageerd. 'Wat ik voor mezelf of Hanneke koop, betaal ik van mijn eigen geld. Luit betaalt het huishouden en de vaste lasten. Zo zijn we het overeengekomen.'

Ze bespeurde een licht verwijt in Truida's stem. 'En u moet dat begrijpen en billijken.'

'O, juist,' had Bets gezegd. 'Zoals je moeder in d'r laatste jaren alles van jullie moet begrijpen en billijken.'

'Moeder, het heeft geen zin altijd weer om te zien naar het verleden. Wat voorbij is, is voorbij.'

Ze wilde zeggen: En Hanneke dan? Maar dit keer hield ze wijselijk haar mond. Truida zou haar direct van haar gebruikelijke repliek dienen: 'Begint u nu weer? Teleurstellingen moet je verwerken. Het leven is nu eenmaal een moeilijk bedrijf, is het niet dit, dan is het dat. Het is niet van poppetjes tekenen op een leitje en als het je niet zint, spuug erop en veeg ze weg.'

Die praat zegt haar genoeg. Voor Hannes is het ook duidelijk. Na al die jaren is het voor Truida nog altijd Jasper.

Juist, Jasper. Maar nu is het Wiersma die om Truida heen draait en zijn sympathie voor haar niet onder stoelen of banken steekt. In ernstige scherts zei hij tegen haar: 'Als je een man zoekt, hier staat-ie.'

'Een vrouw met een kind?' had Truida lachend geantwoord.

'Al had je er nog drie.'

'Je bent een beste, Herre Wiersma, maar ik begin er niet meer aan.' Truida wond er geen doekjes om.

In een opwelling van vertrouwen had Truida dit aan Bets verteld. Verwonderd maar met nieuwe hoop in haar hart, dat alle schande dan mooi uitgewist kon worden, had Bets geadviseerd: 'Ik zou er toch maar eens goed over nadenken. Een eigen dak boven je hoofd en een vent die weet wat werken is en jou naar de ogen kijkt.'

Maar Truida had haar moeder een tijdje aangekeken en met een hulpeloos gebaar van haar handen gezegd: 'Je snapt er niks van, moeder.' Hoofdschuddend was ze de kamer uitgelopen.

'Hoe moet het nu met Barendje?' Plotseling onderbreekt Hannes haar gedachtestroom. Barendje, hun zorgenkind. Hij dalft de hele dag door de buurt en weet precies waar hij iets voor niks krijgt: bij de slager een plak worst, bij de kruidenier een koekje, bij vrouwtje Smit een duimdrop. Hij kliedert er zijn gezicht en hemd mee vol en blèrt huizenhoog als Bets hem de drop afpakt. Maar sinds kort sjokt hij met Tinus Boontjes mee door de 'voddenwijken'. Luidschreeuwend roepen ze 'Voddèè'. Je kunt ze drie straten ver horen. Barendje komt met de meest wonderlijke verhalen thuis die Tinus onder het venten door aan hem vertelt. Over de levensdraad die knapt en dat je dan als een sterretje aan de hemel staat. Of over de mussen die kinderzieltjes begeleiden naar de hemel. Bets wordt tureluurs van die verhalen en zegt: 'Ach jongen, geloof dat toch niet. Hij speldt je maar wat op de mouw.'

Maar Barendje stuift onthutst opeens op: 'Nietwaar, jij liegt.' En dan wordt Bets weer kwaad en heb je de poppen aan het dansen.

Zij houdt er een hartkramp aan over. Zo langzamerhand wordt Barendje Barend en sterk als een beer. Af en toe is er geen land met hem te bezeilen.

'Hij zal toch wat moeten. Als-ie niet met Tinus langs de straat sleurt, hangt-ie rond de timmerplaats van Schenk.' Aarzelend oppert Hannes: 'Misschien is dat wat?'

Schenk kan het wonderwel met Barend vinden en had gezegd: 'Ik hou hem wel zoet, laat hem maar komen.'

Voorzichtig zegt Bets: 'Dat wordt alle dagen op zijn vingers slaan. Of-ie d'r wat van opsteekt?'

'Het is toch te proberen? En hij is van de straat,' vindt Hannes.

'Ach man, gebruik toch je verstand.'

Maar Hannes houdt koppig vol: 'Hij zegt de laatste tijd niet anders dan: Ik word timmerman.'

Hannes zwijgt, krabt met een oud aardappelmesje zijn pijp uit en denkt: hij en Bets hebben ook niet het eeuwige leven. En wat dan? Zal Onze-Lieve-Heer voor Barend geen oplossing weten? Hij die zei: 'Laat de kinderkens tot mij komen'. Barend, met zijn verstand van een kind van vijf, die vol overtuiging zegt: 'Ik word timmerman'. En als Schenk nu... Schenk, die lachend zegt: 'Goed, laat hem in die waan: timmerman, ook al is-ie krullenjongen.' Zachtjes herhaalt Hannes: 'Het is toch te proberen. Schenk zegt ook: Gaat het niet, dan zien we wel weer.'

Dan zwicht Bets. Met dat voorstel heeft ze vrede en zegt: 'Vooruit dan maar.'

Met een knik in de richting van de klok zegt Hannes nu: 'Als Truida jou om halftwee komt halen, mag je wel opschieten.'

Opeens krijgt ze haast en kribbig zegt ze: 'Had je me niet eerder kunnen waarschuwen?'

'Nou ja, nu waarschuw ik je en is het weer niet goed.' Het is voortdurend mot tussen die twee, tussen Truida en Bets. Als man en vader zit hij er soms beroerd tussen.

'Ja, ja.' Gejaagd zet Bets de borden en kommen in de wandkast. 'Mannen, wat weten jullie van vrouwen?'

Het ligt op het puntje van zijn tong om te zeggen: 'En wat weten jullie vrouwen van de mannen?' Maar voetstappen op het erf doen hem zijn woorden inslikken. Bets loopt met een gezicht van 'Wie-zullen-we-daar-hebben' naar de buitendeur, maar net als ze de knop wil grijpen, gaat deze met een smak open. Barendje stapt met Betsy aan zijn hand naar binnen, en zegt op haar verbaasde blik: 'D'r is niks gebeurd.'

'O nee?' Ze wijst op haar kleindochter: 'Hoe komt die jurk dan gescheurd?'

Barend zegt met een verheugde grijns: 'Ze knokte met Daantje Hooikaas.' De Daantje die Barend altijd uitscheldt voor 'stom rund'.

'Wat? Lig jij, als een net meissie, zomaar over straat...'

'Nietes,' valt haar kleindochter Bets verontwaardigd in de reden: 'Ik knokte niet.'

'Wat deed je dan?' Truida klaagde aan Bets vaak haar nood: 'Elke dag is er wat met dat kind.'

'Die klier pikt altijd mijn knikkers.'

'O, en dan ram je er maar op los.'

'Nietes, ik heb de haren uit zijn kop getrokken,' zegt Betsy, bepaald niet boetvaardig.

'Toe maar, toe maar. En dat voor een net meissie. Ook nog je jurk kapot. Tante Truida zal blij met je zijn.'

Betsy kijkt met een beteuterde blik naar haar jurk: 'Kan ik er wat aan doen?'

'Nee, jij kunt nooit ergens wat aan doen.' In plotselinge eensgezindheid met haar dochter, die haar handen vol heeft aan dat kleine loeder: 'Als ik tante Truida was, kreeg je billenkossie.'

'Maar je bent mijn tante niet.'

Zou je d'r niet, dat brutale nest? 'Is het gedaan met je grote mond?' En tegen Barend, die er grijnslachend bij staat, zegt ze: 'En jij, grote lummel, had je d'r niet tegen kunnen houden?'

Barend, met zijn gedachten nog bij Daantje Hooikaas, zegt: 'Net goed, die rotknul.'

'Kom eens bij opa, Betsy,' bemoeit Hannes zich ermee. Hij steekt zijn hand naar haar uit. Betsy is dan wel een kleine haaibaai, maar ze knijpt hem voor de harde hand van opoe. Als een schuw marmotje duikt ze achter Barend weg.

'Hoor je opa niet?' kijft Bets. 'Vooruit, ga naar hem toe.'

'Ja, opoe.' Vlug loopt ze naar Hannes, leunt tegen zijn knie en kijkt vol vertrouwen naar hem op.

'Vertel jij opa nou eens precies hoe het is gegaan.'

Ze vertelt met horten en stoten. Daantje dit, Daantje dat. Als hij de kans krijgt, plakt hij kauwgum in haar haren, en vandaag pikte hij de knikkers van haar af en stak zijn tong tegen haar uit.

'En toen heb je er op los geslagen,' merkt Bets op, met een blik op de stevige kinderknuisten.

'Ik laat me niet pesten!' Weg is opeens alle schuchterheid. 'Je bent er ommers niet bij geweest, opoe.'

Bets zwijgt, ondanks het 'je'. Dat is waar, en het is bekend dat Daantje ook zo'n lieverdje niet is. Truida beweerde laatst nog: 'Dat jong groeit voor galg en rad op.'

'Nou ja,' mompelt ze en met een blik op de gescheurde jurk: 'Wat moeten we daarmee-an. Tante Truida zal je zien aankomen. Vooruit, geef die jurk maar hier. Opoe legt hem wel even onder de naaimachine.'

'Da's andere taal,' zegt Hannes. 'Maar moest jij niet met Truida...'

'Dat kan wachten,' klinkt het resoluut. 'Eerst die jurk. Die markt loopt niet weg en Truida moet het maar nemen zo het valt.'

Eerst die grote haast en nu opeens... Hannes schudt hij zijn hoofd. Vrouwen, je kunt er echt geen wijs uit, vooral niet als ze Bets heten.

HOOFDSTUK 10

De dagen verglijden somber onder zware grijze wolkenmassa's waar af en toe een bui uitvalt. De zon laat zich al dagenlang niet zien. Diep weggedoken in haar stoel zit Jeanne Jongkees in de kille droefgeestigheid van de eenzame kamer. Ze kijkt met aandacht naar de foto op het dressoir. Het is een foto van Jasper, die voor het sierijzeren hek staat waarop in grote letters te lezen is 'Jongkees Rokerijen'. Jasper, met zijn ontembare energie, dwingende ogen en vastberaden mond, een strenge en zelfbewuste man. Jasper, voor wie maar één ding van belang was: de rokerij, waar hij desnoods alles voor opofferde. Jaspers naam werd alom bekend, tot in het buitenland. Geld en eer had hij nagejaagd. Haar had hij op zijn eigen wijze aan zich gebonden en juist daardoor van zich afgestoten. Hij voelde haar weerzin waardoor de intieme huiselijke sfeer hem was gaan vervelen. Meer en meer was hij zijn eigen weg gegaan. Haar dromerige passieloze natuur kon dit alles verdragen, tot aan dat gebeuren met Truida Lanting. Daar was ze nooit goed overheen gekomen. Ondanks dat hun huwelijk overeind bleef, was het voor Jeanne het begin van een jarenlange kwelling geweest, die ze tegenover anderen hooghartig en stilzwijgend onderging. Jasper was haar getrouwd omdat zij als enig dochter alles zou erven van haar vader: de Munster rokerij. Ze had een klein jaar van stil genoten geluk gekend, waarbij Jasper met een wijs lachje slechts toeschouwer was. Pas toen had ze begrepen.

Er was geen terugweg geweest. Hun zoon was al geboren, ook een Jasper. De stamhouder, die het voortbestaan van het geslacht Jongkees veilig stelde. Stil had Jeanne naast haar man geleefd, zich plooiend naar zijn wil.

Voorgoed was dat nu voorbij. Sinds een aantal jaren is zij weduwe. Jasper was tijdens een reis naar het buitenland met zijn auto verongelukt. Ze was diep geschokt door zijn plotselinge overlijden, maar voelde geen verdriet. Maanden gingen

136

in een roes voorbij. Wel moest ze de plotseling geheel veranderde situatie verwerken. Daarin werd ze zoveel mogelijk bijgestaan door Luit Lanting, die haar van alles wat de rokerij betrof op de hoogte bracht. Ze had altijd al geweten dat Jongkees Rokerijen een naam van betekenis was, maar tot zo ver over de grenzen, daar had ze geen weet van. Nu was alles haar eigendom. De concurrenten keken naar haar op met mooie woorden, waarvoor Luit Lanting haar waarschuwde: 'Mooipraters, houd ze op je wagen.' Luit had altijd voor Jasper waargenomen en Jasper had van hem gezegd: 'Luister, kind, vertrouw alleen op Luit Lanting en verder niemand.'

Ze heeft Jaspers woorden ter harte genomen. Op zijn manier had Jasper het goed met haar gemeend. En Luit Lanting is nu haar praatpaal en haar toeverlaat. Luit is lief voor haar en bezorgd. Ze koestert zich daarin. Het geeft haar het gevoel alsof een warme mantel over haar heen valt. De herinneringen aan het verleden dat haar soms in somberheid neerknauwt glijden weg. Is ze Luit de laatste tijd anders gaan zien? Niet langer als de broer van de vrouw die eens Jaspers maîtresse was. Veel vaker nu als een trouwe vriend om wie ze soms dromen weeft, tot ze uit haar eigen mijmerij wakker schiet en zich verschrikt afvraagt: Waar ben ik op uit?

Voor zichzelf weet ze dat ze steun en veiligheid bij hem zoekt, in zijn avondbezoekjes waarin ze samen het wel en wee van de rokerij bespreken. Hoewel ze heel vertrouwelijk elkaar bij de naam noemen, blijft er toch de afstand tussen hen die een eerlijke vriendschap vraagt. Toch vraagt ze zich de laatste tijd weleens af: voelt ze liefde voor deze man? Luit Lanting was dankzij Jasper de man geworden en snel opgeklommen tot directeur. Jasper had Luits succes met graagte aanvaard. Maar Jasper is niet meer. Elke avond neemt Luit met haar de dingen van de dag door, omdat het bedrijf nu op haar naam staat. Soms gaat het haar het ene oor in en het andere uit; niet alles begrijpt ze, wat Luit met een bescheiden lachje doet opmerken: 'Gelukkig dat je naast de boekhouder mij ook hebt, mensen op wie je kunt vertrouwen.' Is dat zo? Heeft zij

Luit Lanting? Of heeft hij haar? Even voelt ze zich bitter gestemd. Ze lijkt wel gek om aan dergelijke gevoelens toe te geven. Ze verzinkt weer in een onverschilligheid die wordt veroorzaakt door een overgrote vermoeidheid. 's Nachts wordt ze steeds uit haar slaap gehouden door zorgen om haar zoon Jasper.

De laatste maanden zitten Jasper junior en zij niet meer op één lijn. De gewone dagelijkse dingen waar ze vroeger hun vreugde aan beleefden, lijken nu zinloos geklets. Dan grijpt zij naar haar haakwerk en Jasper bladert verveeld in een boek. Jasper is qua karakter zo veranderd na zijn vaders overlijden. Eigenwijs zelfstandig en een tikkeltje eigenzinnig is hij nu en dat botst. Jasper liep vroeger net als zij in het gareel van zijn vader, duldde zijn heerschappij en voegde zich naar zijn wil. Dat is nu voorbij. Het eerste wat Jasper na zijn vaders dood tegen haar zei was: 'Nu ben je vrij, mam, kun je ademhalen.'

Voelt ze zich inderdaad vrij? Nee, en nog eens nee. Nog ervaart ze zijn aanwezigheid, hier in huis en op het kantoor. Alles is als bij zijn leven blijven staan, niets is veranderd of verschoven. Ze is niet bijgelovig, maar voor haar gevoel waart zijn geest nog overal rond. Als ze eens een keer, op zoek naar houvast, met Jasper hierover praat, schudt hij zijn hoofd en zegt: 'Nonsens, u moet die malle gedachten van u afzetten. Het leidt tot niets.'

Maar hij was wel haar man. Toen ze het doodsbericht kreeg, was haar eerste gedachte: hoe zal het nu met mij gaan? Nu ben ik de eigenaar van de rokerij geworden. Jasper heeft me altijd buiten alles gehouden, en nu? Was ík maar heengegaan, want wat moet dat worden?

Ze werpt een blik door het raam. Na dagen breekt eindelijk een waterig zonnetje door het grauwe wolkendek. De ijle stralen zweven door het glas naar binnen en toveren licht-spettertjes op Jaspers foto. Als een magneet wordt ze erdoor getrokken. Ze staat op, loopt naar het dressoir en pakt de foto. Het is of de strakke blik van zijn ogen nog altijd even oplettend toeziet. Jasper die van Truida Lanting hield, al sinds zijn kinderjaren. Hij heeft een kind bij haar verwekt, maar ondanks dat zij zijn grote liefde was heeft hij haar, Jeanne, zijn wettige vrouw, nooit laten vallen. Hij dacht er niet aan van haar te scheiden en heeft haar en de jongen in eenzelfde genegenheid bij elkaar gehouden. Alles bleef voor hem bij het oude. Voor haar, al leefde zij met veel verzwegen leed.

Het openen van de kamerdeur doet haar uit haar gedachten opschrikken. Haar zoon Jasper blijft even aarzelend op de drempel staan, in hem prikkelt medelijden en ergernis. Voor de hoeveelste maal staat zijn moeder met de foto van zijn vader in haar handen? Hij loopt de kamer in en valt geërgerd uit: 'U moet die foto in de kast opbergen.'

Ze schrikt op. 'Het is wel je vader.'

'Was mijn vader.' Zijn stem klinkt als veraf in de ruimte van de kamer. Hij kijkt naar haar. De dood van zijn vader is haar niet ongemerkt voorbij gegaan. Haar gezicht is vermagerd, groeven tekenen zich af van de neusvleugels naar de mondhoeken, en dan te weten dat vader haar... dan zou je toch denken...

'Ik wil graag met je praten, moeder.'

'Ach zo.' Ze zet de foto terug op het dressoir en keert zich naar hem toe.

'Waarover dan wel? Zoveel praten we de laatste tijd niet meer.'

Hij aarzelt even. Ze heeft gelijk, ze leven meer en meer langs elkaar heen met ieder hun eigen, vaak tegengestelde belangen.

'Ik wil hier weg, moeder.'

Verbijsterd kijkt ze hem aan. 'Weg? Hoezo, weg?'

'Gewoon, een tijdje naar het buitenland.'

Angst slaat door haar heen. Naar het buitenland... Het werd Jasper zo plotseling zijn dood, en nu wil zijn zoon... Schor schiet haar stem uit: 'Moet je net als je vader...' Ze strijkt met trillende hand langs haar voorhoofd alsof ze het beeld wil verjagen.

Even schokt hij met de schouders. 'Ach kom, dat wil toch niet zeggen dat ik ook...'

Opeens kan ze zich niet meer bedwingen en ze valt scherp uit: 'Waarom opeens die manie van naar het buitenland? Alsof daar de straten goud geplaveid zijn.' En op dringender toon: 'Je bent een Jongkees, Jasper, je bestemming is hier, bij de rokerij. In het buitenland heb je niks te zoeken.'

Hij zwijgt. Een onwillige trek glijdt om zijn mond, zijn voorhoofd fronst. Jawel, hij begrijpt haar wel, hij is haar enig kind. Nors reageert hij: 'Alles draait hier alleen maar om de rokerij. Heel mijn leven heb ik dat al moeten horen. Eerst vader. Nou jij.'

'Het is je vaders levenswerk. Dat wil jij toch niet te grabbel gooien?'

Een vluchtig rood glijdt over zijn wangen. Hij klemt zijn lippen vaster op elkaar. In zijn hart weet hij dat ze gelijk heeft. Maar hoe dacht ze er vroeger zelf over? Menigmaal was hij er getuige van dat tussen zijn vader en moeder de verwijten heen en weer vlogen.

Nu zijn de rollen omgedraaid. Nu lijkt moeder in de voetsporen van vader te treden en staat bij haar de rokerij voorop. Door invloed van Luit Lanting?

'Ik begrijp het wel,' zegt zijn moeder nu, 'je laat je door je vrienden opjutten. Ze denken dat je daar in een jaar miljonair kunt zijn. Vergeet het maar, overal moet je werken.'

'Daar gaat het niet om. Heel mijn leven op dezelfde plek, met z'n allen op een kluitje... het wordt me hier gewoon te benauwd. Ik moet de wind eens om mijn kop voelen.'

'Ga dan naar de haven, dan heb je wind om je kop,' stuift ze op.

Ze zwijgen. Jeanne denkt: Vroeger was-ie in alles op en top zijn vader. Nu lijkt hij als een blad aan de boom omgedraaid. De rokerij laat hem koud, het is alleen buitenland wat de klok slaat. Dat weten werkt verbijsterend en verwarrend op haar in; hij lijkt als zand tussen haar vingers door te glippen.

Jaspers gedachten cirkelen rond zijn moeder. Van een

schuchtere en terughoudende moeder lijkt ze opeens een kordate vrouw geworden die hem gevoelig op de vingers tikt en met zijn neus op de feiten drukt. Hij, als zoon en enig erfgenaam, zou een domkop zijn als hij dat alles zomaar vergooide. Maar ach, een jaartje in het buitenland om nieuwe ideeën op te doen, dat moet ze hem toch gunnen. Hij zegt haar dat.

'Ideeën, wat voor ideeën dan wel? Houd eens op met dat heen en weer geloop, ga zitten.'

Hij valt op een stoel neer.

'Je moet eens met Luit praten, hij kampt met een tekort aan personeel.'

Natuurlijk, Luit Lanting. Iedereen in de rokerij had in het begin bedenkingen tegen hem, behalve Jaspers vader. Die zag wel wat in die stoere zwijgzame knul, die de zoon van zijn vorige baas een blauw oog had geslagen. Hij nam hem in dienst, leidde hem in eigen persoon en met strakke hand op en gaf hem een leidinggevende functie. Luit heeft intussen ook een bescheiden aandeel in de rokerij, en zit nu op de plaats van de overleden Jasper Jongkees. Ook Luit had hem al gezegd: 'Het buitenland? Wees wijzer, jong, hier is je bedje gespreid en je kostje gekocht.' Luit loopt elke avond bij moeder aan en houdt haar van het wel en wee van de rokerij op de hoogte. Jasper mag Luit Lanting wel. Het is een goed bestuurder, met hart voor het werkvolk en oog voor detail. Als bij ingeving zegt hij ineens tegen zijn moeder: 'Waarom trouwt u niet met Luit Lanting? Hij is een goeie vent. Dat geeft zekerheid voor de zaak.'

Onthutst kijkt ze hem aan. Waar denkt zo'n jongen ineens aan? 'Wat nou, ga je koppelen?' Maar de onrust is terug in haar.

Hij ziet dat ze bloost, krijgt er plezier in en dringt aan: 'Waarom niet? Je bent weduwe en hij weduwnaar. Jullie belangen liggen voor jullie allebei in de zaak.' En met een spottend lachje voegt hij er aan toe: 'Zo blijft het in de familie, moet je maar denken.'

141

Dat is tegen het zere been. Jeanne snibt: 'Ja, zo kan het wel weer.' Ze keert zich van hem af, maar in haar blijft twijfel en onrust. Niemand hoeft dat te weten en een ander zou het niet kunnen begrijpen, zijzelf nog wel het minst.

Luit Lanting loopt door de lange marmeren gang naar de woonkamer van Jeanne Jongkees. Hij is laat vanavond. Dat komt door Truida. Vlak voor hij wilde weggaan hield ze hem staande: 'Ga je uit?'
'Uit? Nee, niet bepaald.' Hij schoot in zijn jas: 'Ik moet nog even naar Jeanne.'
'Ach zo, Jeanne.'
'Wat nou?' antwoordde hij, pijnlijk aangedaan door de toon waarop ze het zei. 'Dat weet je toch, even praten over de zaak.'
'Alsof je met de zaak getrouwd bent,' merkte Truida narrig op. 'Zie je ons eigenlijk nog wel staan?'
'Wat bedoel je?' Geërgerd fronst hij zijn wenkbrauwen. 'Je bijt nogal van je af. Heb je hoofdpijn?'
'Nee, maar jij gaat zo op in je avondbezoekjes aan Jeanne Jongkees, dat in je eigen huis je alles ontgaat.'
'Is het zo erg?' En met een geamuseerd lachje, vroeg hij: 'Heeft Herre Wiersma je soms weer een aanzoek gedaan?'
Het is bekend dat Herre met meer dan gewone belangstelling naar Truida kijkt en haar af en toe over de toonbank wat gratis toestopt: een pondje paling of makreel, een bosje gedroogde schar. Truida neemt het met een lachje aan, maar beknort hem tegelijk vriendelijk om zijn verkwisting.
'Klets,' snibde Truida. 'Je weet wel beter, ik begin er niet meer aan.'
In zijn hart wist hij niet met wie hij medelijden moest hebben: met zijn zuster, of met Herre, die al drie keer bij haar een blauwtje had gelopen? Hij nam het voor Herre op en zei: 'En waarom niet? Hij is een harde werker. Naast Giel heeft hij nog twee man in dienst en de zaak loopt goed.'
'Juist, daar zeg je iets,' antwoordde Truida. 'Dan kan ik alle

dagen achter de toonbank. Dat zie ik niet zitten. Houd er maar over op.'

Luit vroeg zich af: Kapselde ze zich in voor wat er in het verleden was gebeurd, of leefde in haar nog steeds die ene naam van Jasper. Hoe lang doet ze nu al zijn huishouden en heeft de zorg voor Betsy? Hij houdt van zijn zuster en zou haar zo graag gelukkig zien. Hij sloeg vertrouwelijk zijn arm om haar schouders en zei: 'Vertel op, wat zit je dwars?'

'Betsy.'

Dacht-ie het niet? Betsy, die kleine duvel die vanaf het begin het vertikte Truida moeder te noemen. Voor haar is en blijft het tante, al heeft die dreumes nog gelijk ook.

'Ja? Wat is er met haar?'

En Truida vertelde: 'Alle dagen is er wat, over schuttingen klimmen, in lantarenpalen klauteren, narcissen plukken in het plantsoen, belletje trek, kralen in de deursloten. Er gaat geen dag voorbij of ze gaat op de vuist met Daantje Hooikaas. En dan die grote mond als je daar wat van zegt.' Met een diepe zucht zei ze: 'Luit, ik ben het meer dan zat. Neem jij haar eens onder handen. Alleen naar jou luistert ze.'

Weer het oude liedje, dacht hij. Betsy is een hartstochtelijk en fel levend kind waarmee soms geen land te bezeilen is. Ondanks haar grote mond is ze toch ook zo aandoenlijk hulpeloos. Betsy kan hem soms radeloos aanstaren, haar armen om zijn hals heenslaan, haar wang tegen de zijne drukken en vragen: 'Papa, waarom is mama opeens dood gegaan?'

Dan ziet hij de diep-wanhopige ogen in het smartelijk vertrokken kindergezicht, en moet hij met zichzelf worstelen. Waar moest hij het antwoord vandaan halen? Hij hád geen antwoord. Dan trok hij Betsy maar op zijn knie en zei: 'Tante Truida is er toch? En je bent papa's grote meid.'

'Ik neem haar vanavond onder handen,' beloofde hij Truida.

'Vanavond, hoezo vanavond? Elke avond ben je de hort op naar haar!' Truida had zich omgedraaid en was wrevelig de kamer uitgelopen.

Ach, al wat zijn zuster zegt over Betsy, daar moet hij niet te zwaar aan tillen. Luit sust zichzelf: een beetje geven, een beetje nemen, dan komt het wel goed met die twee.

Nu loopt hij hier in de gang op weg naar Jeanne. Even napraten over de dingen van de dag, dat was intussen gewoonte geworden. Hij klopt aan.
'Binnen,' hoort hij haar ietwat lijzig-zangerige stem. 'Ben jij het, Luit?'
Hij opent de deur. 'Wie anders?'
Snel komt ze op hem toe en drukt een vluchtige kus op zijn wang. 'Je bent laat.'
Wat moet hij nu zeggen? Woorden gehad met Truida om Betsy? De naam van Truida ligt hier nog altijd gevoelig. Hij zegt daarom: 'Het was nogal druk op de zaak.'
'Smoesjes. Het is altijd druk op de zaak. Ga maar gauw zitten. Wat kan ik je aanbieden, thee of koffie?'
'Geen van beide.' Hij heeft thuis al koffie gedronken omdat Truida zo aandrong. Anders kon ze de koffie voor de zoveelste maal door de gootsteen gooien.
'Wat wil je dan?' Ze legt haar kleine magere hand op zijn arm. 'Zeg het maar, een glas fris? Hè toe, Luit, doe een beetje gezellig.'
Hij zwicht: 'Vooruit dan maar, een glas jus d'orange. Ga zitten, dan spreken we de dag van vandaag door.' Hij kijkt naar haar, ziet hoe ze zich sierlijk en geruisloos door de kamer beweegt. Het gevulde glas zet ze met een zachte tik voor hem op de tafel, gaat dan tegenover hem zitten en lacht even naar hem.
'Steek maar van wal, ik luister.'
Ze vraagt naar de gang van zaken op het bedrijf, en hij antwoordt: 'De zaken gaan goed, heel goed. De nieuw aangenomen boekhouder is een juweel. Nee, we hebben niet te klagen. Zeg, luister je wel? Ik zit hier te praten als Brugman en jij...'
'...luistert niet,' lacht ze verontschuldigend. 'Ach, eigenlijk zing je elke dag hetzelfde liedje.'

144

Het klinkt wat afkeurend en dat verbaast hem.

'Wees blij met dat liedje,' antwoordt hij opeens nors, 'vooral dat er geen valse noot in doorklinkt. Anders zou het je geld gaan kosten.'

'Word nou niet boos omdat ik dat tegen je zeg. Ik ben je juist heel dankbaar voor alles wat je voor de zaak doet. Maar ik ben een vrouw, met heel andere interesses. Jij kunt als man gewoon beter over dat soort dingen praten en oordelen.'

'Dat soort dingen', die drie woorden blijven in hem haken. Alsof het over iets onbenulligs gaat, en niet over de rokerijen waar dagelijks duizenden in en uit gaan. Hij hoort opeens de stem van Jasper weer: 'Jeanne is een goeie, lieve huisvrouw, weinig eisend. Ze stelt alleen belang in haar eigen kleine zorgen en valt me daar ook niet lastig mee. En ach, je leert ermee te leven.'

Jaspers dominantie en kregelheid kennende, dacht Luit: Het is een wonder dat Jeanne dit alles van hem verdraagt. Maar nu hij Jeanne beter leert kennen, ziet hij haar heel anders. Een kalme, tevreden vrouw, die zich weinig in levenskwesties verdiept, en berustend haar lot ondergaat.

Hè, heeft ze het nu over Truida? Komt hij voor de zaak, begint zij over Truida. Scherper neemt hij haar op. Helder staan haar ogen in haar wat verwelkt gezicht en vraagt: 'Hoe bedoel je, Truida?' Truida is voor beide families altijd een heikel punt geweest.

Een pijnlijk lachje glijdt over Jeannes gezicht. 'Altijd in mijn leven heb ik Jasper naast me geweten, tot die affaire met Truida. Ook toen zij hun relatie beëindigd hadden, bleef haar beeld in zijn hart gebrand. Ik, de moeder van zijn kind, werd geduld, juist om dat kind.'

Verwonderd vraagt hij: 'Ben je daarom altijd bij hem gebleven?'

'Wij zijn beiden bij elkaar gebleven. Je mag wel stellen: in schamel zelfbedrog. En de kloof werd er niet minder om.'

Ze zwijgen even. Luit bedenkt bij zichzelf: Ook Truida heeft

Jasper nooit kunnen vergeten. Het werd soms voor haar een martelende last. Nu ondervindt zelfs Herre dat nog.

'Wil je nog een glaasje fris?'

'Doe maar.'

Ze schenkt in en gaat weer tegenover hem zitten. Ze buigt zich wat naar hem toe en vraagt: 'Jij bent ook weduwnaar. Hoe red jij het? Nee, ik bedoel niet dat Truida je huishouden doet. Ik bedoel... Koester jij ook gedachten van vervlogen geluk? En kan je het zo uithouden, of heb je daar moeite mee?'

Die vraag zet Luit aan het denken. Guurtje hield meer van hem dan hij van haar. Hij had haar getrouwd uit eigenbelang, om in het leven vooruit te kunnen komen. Maar aan haar hartsverlangen, een tweede kind, had hij nooit tegemoet willen komen. Guurtje leed daaronder. Na haar plotselinge dood kwelt hem dit weten des te meer. Het groeide soms uit tot slapeloze nachten waaruit hij 's morgens doodvermoeid opstond. Dan dacht hij wel: misschien een andere vrouw in mijn leven... Misschien dat dat genezing voor dat uitputtende denken zou zijn. Zou die vrouw Jeanne kunnen zijn? De vele avondbezoekjes ervoeren zij beiden als een veilig baken aan het eind van de dag. Maar om nu te zeggen 'hopeloos verliefd'? Dat is hij niet en Jeanne evenmin. Ingaand op haar vraag zegt hij: 'Ik denk dat we allebei weten dat het leven heerlijk is, maar door het lot bepaald. Omkijken heeft geen enkele zin.'

'Daar geef ik je gelijk in,' antwoordt Jeanne en ze sluit een moment haar ogen.

Ontroerd kijkt hij naar haar mat-bleke gezicht waarop de donkere wenkbrauwbogen zich scherp aftekenen.

Eén ding weet hij zeker: wat geld betreft heeft ze een lot uit duizenden, maar toch heeft het leven ook haar getekend. Voor hij het goed en wel beseft, heeft hij haar hand gepakt. Hij streelt haar ijskoude vingers, ziet het matte glinsteren van Jaspers trouwring en zegt: 'Geloof me, Jeanne, een mens groeit eroverheen. Waar ik feitelijk voor kwam...'

146

Maar achteloos zegt Jeanne: 'Laat maar, ik zit over Jasper in.'
Ze trekt haar hand terug.
'Jasper, wat is daarmee?' vraagt Luit verwonderd. Hij mag
hem wel. Een pienter joch en goed bij de pinken. Jasper
steekt zijn genegenheid voor hem – Luit – ook niet onder
stoelen of banken.
'Hij wil naar het buitenland.'
Jasper? 'Een aardje naar zijn vaartje.'
'Ja, maar als het hem vergaat zoals zijn vader. Hij is alles wat
ik nog heb.' Als een kreet komen die laatste woorden eruit.
Hij wil al bijna zeggen: 'Je hebt mij nog', maar hij zegt: 'Ik zou
me maar geen zorgen maken. Jasper kan heel goed op eigen
benen staan.'
'Jasper op eigen benen? Daar heb ik nog nooit iets van
gezien.'
'Omdat jij hem daartoe geen enkele kans geeft.'
'Ik?' De verbazing staat op haar gezicht te lezen.
'Ja, jij.'
'Je bedoelt zijn vader. Die trok de touwtjes te strak aan. Elk
initiatief van Jasper boorde hij de grond in en hij heeft hem
hierin soms diep gekwetst.'
'Hij stoomde hem klaar voor de rokerij, zo moet je dat zien.'
Met een smalend lachje zegt ze: 'Wat ik zie is dat hij hier alles
de rug toedraait en zijn eigen weg kiest.'
'Kleine kinderen worden groot, Jeanne. Op een gegeven
moment vliegen ze uit.'
'Ja, en dan branden ze hun vleugels en komen gehavend op
het nest terug.'
'Daar is jouw zoon de man niet naar.'
O, dat Luit Lanting haar toch niet begrijpen wil. Geërgerd valt
ze uit: 'Ik weet heus wel dat je partij voor hem trekt.'
'Nonsens, ik trek niemands partij. Maar Jasper is net als zijn
vader, al is hij zich dat nog niet bewust. Maar geloof me, hij
is een kerel van stavast, die redt het wel.'
'En als hij het niet redt?'
'Dan zal hij dubbel en dwars gaan waarderen wat hij hier ach-

terlaat. Des te eerder zal hij terugkomen.'

'Denk je dat?' Angstig-vragend kijkt ze hem aan.

'O, stellig, maar laat het hem zelf ondervinden. Oost, west, thuis best. Zo is het toch?'

Stil zitten ze een poosje verdiept in eigen gedachten. Wat kalmer geworden pakt ze in een opwelling zijn beide handen en kijkt hem zwijgend aan.

'Scheelt er iets aan?'

'Niets.' Verlegen wendt ze haar blik af.

'Wél iets, zeg het maar.' Hij ziet een trek op haar gezicht die hij niet kent.

'Ik...' Haar greep om zijn handen wordt vaster. 'Ik zou me geen raad meer weten als je niet meer kwam.'

Een glimlach glijdt over zijn gezicht. 'Dat ben ik in het geheel niet van plan.'

Altijd is ze blij als hij er is. Toch vraagt Luit zich af wat er nu werkelijk in haar omgaat. Hoe ziet ze hem? Sinds het overlijden van Jasper trekt ze zich in zichzelf terug. Ze zoekt ook geen omgang met anderen, alleen met hem, omdat hij deel uitmaakt van de zaak. Vanaf het moment dat ze er alleen voor stond, heeft hij haar wegwijs gemaakt in de zakelijke kwesties van de rokerij. Rekening houdend met haar droefheid had hij haar een beetje 'vaderlijk' gesteund en beschermd.

Totdat ze zich op wonderlijke wijze in elkaars leven verdiepten en belangstelling voor elkaar gingen koesteren. Daardoor begon hij zich overdag erop te verheugen 's avonds bij haar te zijn. Zachtjes gaat hij erop door: 'Nogmaals, ik zie geen enkele reden om weg te blijven. Voorlopig zit je nog iedere avond met me opgescheept. Of jij moet het niet meer willen.'

Een verbaasd lachje krult haar mondhoeken. Onverwachts doortrekt haar een plotseling weten: ze houdt van Luit Lanting. Zoals eens Jasper van Truida moet hebben gehouden. Wat hebben die Lantings toch in zich dat een ander zo in hen trekt? Liefde, edelmoedigheid, begrip voor hun medemens, of hebben zij ook hun onoverkoombare fouten? Die vragen verwarren haar. Want juist nu herinnert ze zich in folterende duidelijkheid het verleden met Jasper. Ondanks het gebeuren dat tussen hen in stond, hebben ze elkaar toch op bepaalde punten gerespecteerd, al beefde ze voor zijn alles-overheersende dominantie en voor zijn scherpe ogen, waarin soms die geringschattende blik kon liggen die voor haar de dag loodzwaar maakte.

Maar nu ze haar gevoelens voor Luit Lanting gewaarwordt, heeft ze de kracht heel dat verfoeide verleden uit haar denken te bannen. Voor haar telt alleen dit moment met Luit Lanting.

Ook hij heeft ook zo zijn gedachten. Hij denkt aan Jeanne en haar zoon. Sinds Jasper er niet meer is, hangt ze met hart en ziel aan de jongen. Geen wonder dat Jasper junior dat ervaart als beklemmend en verstikkend. Dat is ook de reden waarom dat jong zich de laatste tijd zo stug tegenover haar opstelt. Hij weet niet goed hoe hij dat aan Jeanne uit zal leggen zonder haar te bezeren en zegt: 'Misschien voelt je zoon alles wat hier in de loop der jaren is gepasseerd nog steeds als een beproeving. Misschien is dat de reden waardoor hij een heel andere richting opdrijft.'

Verrast kijkt ze hem aan. Daar heeft ze niet aan gedacht.

'Misschien heb je gelijk en schat ik het verkeerd in. Dan zal een reisje naar het buitenland hem waarschijnlijk veel goed kunnen doen.'

'Welja meid,' valt hij haar opgelucht bij. 'En hij loopt heus niet in zeven sloten tegelijk.'

Opnieuw valt er stilte tussen hen. Ze weegt Luits woorden terwijl ze haar zoon voor zich ziet, een mengeling van ruwe hardheid en gevoelige tederheid. Daartegenover staat het beeld van wijlen haar man: scherp, dominant, heerszuchtig, maar soms ook met een kalme meegaandheid die haar verwonderde. Ze voelt geen verdriet als ze aan Jasper denkt. Daar heeft hij haar in hun huwelijk te diep voor gekwetst, maar toch zijn er momenten waarop ze hem mist. Ze denkt aan de goede momenten van tevredenheid, wanneer hij een contract had afgesloten en haar meenam in zijn vreugde hierover. Zou Luit het begrijpen als ze het hem vertelt? Luit, van wie Jasper altijd hoog opgaf en tegen haar zei: 'Mocht er ooit iets met mij gebeuren, vertrouw op hem en niemand anders.' 'En je eigen zoon dan?' had ze een beetje gepikeerd gevraagd. 'Hij is er nog niet klaar voor,' had Jasper kort gezegd.

Het had haar gekwetst dat hij zo over zijn zoon sprak. Nu denkt ze daar anders over. Haar gevoelens zijn ook veranderd. Nu koestert ze gevoelens voor een andere man. Zij, een vrouw van middelbare leeftijd, met vlinders in haar buik. Of kent het leven eindelijk genade na al die verloren jaren? Ze strijkt met haar hand langs haar voorhoofd, een schamper lachje krult haar lippen. Genade, kent het leven dan genade? Opeens zegt ze: 'Al dat napraten elke dag weer over het reilen en zeilen in de rokerij. Voor wie doe je dat hoofdzakelijk: voor jezelf of voor mij?'

Hij rilt even, maar zachtjes zegt hij: 'Voor ons beiden, wat dacht je dan?'

Ze merkte hoe ze hem gekwetst had met haar woorden. Beschaamd buigt ze haar hoofd en schor-fluisterend zegt ze: 'Het spijt me, ik had dit niet tegen je moeten zeggen.' Met een blos op haar wangen bekent ze: 'Ik mag je wel, jij die de beschermeling was van Jasper.'

Ontroerd door haar openlijke bekentenis, zegt Luit: 'Da's dan wederzijds.'

Ze knikt: 'En nu ben je directeur.' Er klinkt iets warms en hoopvols door in haar stem dat zich niet laat onderdrukken. Met zijn gedachten bij Jasper zegt Luit: 'Je man heeft het indertijd goed gezien.'

'Je bedoelt wijlen mijn man.' En weer verwondert het hem hoe koeltjes ze over Jasper praat. Maar hijzelf dan? Als hij met Truida over Guurtje praat gaat het net zo. Zijn huwelijk met haar was meest uit eigenbelang. Als zijn wettige vrouw had ze naast hem geleefd. Ze hing met hart en ziel aan hem, hoewel ze wist dat het hem minder deed. Hij bekent zichzelf: Ondanks alles betekende ik toch 'geluk' voor haar. Voorzichtig, bang Jeanne te kwetsen of te krenken, zegt Luit:

'Ik geloof dat jouw en mijn huwelijk niet zo veel van elkaar verschilden.'

'Misschien,' gaat ze op zijn woorden in, 'misschien dat we onze eigen gevoelens te veel op een kaart hebben gezet, daarbij een ander niet achtend. Dat moet je niet willen, dat is egoïstisch en dom.'

'En daardoor juist alles verloren,' haakt hij erop in. Soms voelt hij zich de laatste dagen wat moe en afgetobd. Dat geharrewar met Truida over Betsy doet er ook geen goed aan.

'Als een mens alles vooruit wist...' Er biggelt een traan langs haar wang. Ze besefte dat hoezeer ze dit huis ook verfoeide, het toch door alles heen een veilig baken voor haar was geweest.

'Kom, kom,' troost hij. 'Je moet niet huilen, dit alles is toch voorbij?' Een ogenblik voelt hij zich onzeker, zo bleek en afgetobd ziet ze eruit. Dan vat hij moed. Hij slaat zijn armen om haar heen, drukt haar tegen zich aan en droogt haar tranen. Alsof het de gewoonste zaak van de wereld is, zegt hij: 'Morgen trek ik bij je in.'

Gevolgd door een aarzelend: 'Als jij dat wilt.'

'Ja, dat wil ik.' Wordt hij meegesleept door eigen verlangen, of door de vrouw die zijn hart bekoort?

'Daar komt opspraak van.'

'Laat ze.'

'En Truida dan?' De vrouw die ze eens haatte.

'Truida gaat haar eigen weg, ik de mijne. Nog meer bezwaren?' Hij drukt een kus op haar mond, en zij, in vreemde ontroering, slaat haar armen om zijn hals en kust hem terug. Het is goed zo voor hen beiden. Veertigers zijn ze nu en toch lijkt een nieuw leven te wachten.

HOOFDSTUK 11

'Nog een wonder dat je tijd hebt om langs te komen,' snibt Truida tegen haar broer. Tik, het kopje staat op het schoteltje, en een doffe razernij vertroebelt haar denken. Luit, van de een op de andere dag plotseling het huis uit en bij haar ingetrokken. Die 'haar' is Jeanne Munsters, de rijke weduwe van Jasper Jongkees, en zij – Truida – de maîtresse van Jasper Jongkees, met een maandelijkse toelage die hij in een opwelling van goedheid op haar en Hanneke levenslang heeft vastgezet. Hanneke, met haar 'sterretje' ogen, haar blijde lach, haar lieve stem, maar voor de bewoners in de buurt nog altijd 'het bastaard jong' van Jasper Jongkees, een weten dat al die jaren door haar – Truida's – hart treft in scheurende pijn, dat weet heel de familie, met Luit voorop, dan zou je toch denken... Maar Luit denkt en ziet niets en niemendal, die loopt met zijn kop in de roze wolken en papt aan met Jeanne Jongkees en je vraagt je af: waar is zijn moraal. Luit, haar broer waar ze in gedachten en daad altijd een mee was, en moeder Bets hen weleens uitschold van 'de Siamese tweeling'. En nu voelt zij – Truida – Luits handelswijze als verraad. Ze ziet zijn houding als 'in zijn zwakheid is hij overgelopen naar de vijand', of werpt hij zich op als beschermer voor die zwakke weduwe die in het geld zwemt, of is het zoals vele kwaaitongen hier in de buurt beweren: Luit Lanting is het om het geld te doen. Mannen, je kijkt erop maar niet in, al is het haar eigen broer.

Ze norst: 'Wil je nog thee?' en weer haakt in haar de gedachte: Waarom heeft Luit dat gedaan, is hij opeens zo dol op Jeanne? Telkens weer dringt die vraag zich aan haar op, zo erg zelfs dat ze er een barstende hoofdpijn aan overhoudt, zoals vandaag.

Hij schuift zijn kopje bij: 'Schenk maar in.' Hij kent de wrok in haar over zijn 'hokken' met Jeanne, en ook voor zijn moeder is het een 'beproeving', die in haar strakheid het verleden niet vergeten kan en verzucht: 'Komen we nooit van die lui verlost?' Moeder is het volkomen met haar oudste dochter eens. Dat is ook de reden van weinig hartelijkheid bij die twee tegenover hem. Zijn vader in zijn ruim begrip van normen en fatsoen heeft er minder moeite mee, al zag ook hij het liever anders. En al vindt moeder met haar zogenaamde fijngevoeligheid vader in dat soort kwesties te oppervlakkig, raakt hij – Luit – naarmate hij ouder wordt ervan doordrongen dat vader in zijn 'oppervlakkigheid' meer begrip voor zijn kinderen heeft dan moeder in haar 'liefdadigheid' kan opbrengen.

'Suiker?'

'Dat weet je toch?' In een opwelling pakt hij haar hand: 'Waarom doe je zo lelijk tegen me, Truida?'

Een ogenblik staat ze perplex, rukt haar hand uit de zijne en herhaalt: 'Waarom doe je dat?'

Daar gaan ze weer, haar oude wrevel tegen hem en Jeanne, doch hij ontwijkt die vraag, neemt haar scherp op, ziet de verandering op haar gelaat, de matbleke wangen, de diepblauwe kringen onder haar ogen, buigt zich naar haar toe en vraagt: 'Heb je hoofdpijn, feeënriekje?'

De toon waarop hij praat en het woordje feeënriekje doorschokken haar. Een woordje uit hun jeugdjaren, en even voelt ze zich uit het veld geslagen, zegt: 'Gôh, dat je dat nog weet.'

'Ik weet alles nog uit die tijd, Truida. Ook dat je in het schuurtje met Jasper Jongkees stond te zoenen. Of ben je dat vergeten?'

Jongkees, de naam haakt in haar oren. De naam die ze de jaren door stug bij ieder gesprek ontweek, vooral bij moeder Bets, bang dat ze tegen haar – Truida – voor de zoveelste keer zou uitvallen, omdat in moeders oog die naam al het kwaad van de wereld in zich meedroeg.

Ze reikt hem zijn kopje, ontwijkt zijn doordringende blik en vraagt wrevelig in een moment van eigen zwakte tegen haar broer: 'En dat ze je nu omdat jij met Jeanne Jongkees...'

Hij roert in zijn thee, voelt de beklemming tussen hen en zegt: 'Net als jij toen met Jasper, weet je nog. En heb ik daar ooit een woord over gezegd? Wees eerlijk, Truida.'

Nee, dat heeft hij nooit, samen met vader heeft hij zijn hand boven haar hoofd gehouden, de slagen van roddel en achterklap opgevangen, en toen zij na Guurtjes overlijden met Hanneke bij hem introk en hem daarmee voor een voldongen feit plaatste, heeft hij weer niets gezegd, aanvaardde het zoals het kwam.

Ze trekt een stoel onder tafel uit, gaat tegenover hem zitten, ziet zijn strak getrokken mond door verborgen emotie, en zegt: 'Jij en vader, jullie hebben altijd toen ik met Jasper... Nu, na jaren jij met Jeanne, zijn weduwe. En ik die andere vrouw, de moeder van zijn dochter, het 'bastaardjong' al die jaren. Hoe denk je dat dat voelt?'

En hij die dacht: Als ik er eens met Truida over praat, de situatie van mij en Jeanne uitleg, zodat ze het beter begrijpt en duidelijker inziet, dat moet over beide kanten toch rust geven. Zachtjes zegt hij: 'Daar staat Jeanne toch buiten?'

'O, dacht je dat, haar man, mijn minnaar. En nu jij met haar.'

Weg alle haatgevoelens en gedachten van normen en waarden. Wat haar overblijft is de leegte der jaren zonder hem. Geen troost, geen vriendelijk woord en ook zij kende haar leed toen Jasper... Maar haar paste geen rouw. Wel Jeanne Jongkees, zijn eerzame weduwe. En Luit is bij Jeanne ingetrokken en werpt zich op als haar... ja wat? Haar minnaar? Haar beschermer? En zij – Truida – had Jasper ondanks hun liefde nooit van zijn vrouw kunnen losmaken, wilde dat ook niet. Door de jaren heen hield ze zich groot, maar haar hart is leeg om de verloren liefde voor een getrouwde man.

Haar bleef allen Hanneke, die als ze groot is aan haar – Truida – de diepere vragen zal stellen, heel anders dan Hanneke ze nu aan haar grootvader stelt. En met haar gedachten bij het verleden vuurt ze de vraag op hem af: 'En als er een kind van komt?'

Hij schrikt, die vraag komt onverwachts, Jeanne en hij een kind? Guurtje danst door zijn geest, haar beeld scherp en zuiver, haar stem vol verwijt: 'Jij wilt geen tweede kind'.

Gewetenswroeging doortrilt hem en gluurt naar Truida, ze wacht op zijn antwoord, niet geheel zeker van zichzelf zegt hij lacherig: 'Kom zeg, wij zijn veertigers.'
'Dat zegt niks, je hebt het eerder dan de honderdduizend.'
Hij trommelt met zijn vingers op de tafel. Wat kent Truida Jeanne? Ja, van aanzien, en die ene keer dat ze samen met Jasper bij hem op bezoek kwam. Jeanne, een goeie meid, trouw en weinig eisend, en Truida oordeelt maar, ongeduldig valt hij uit: 'Praat nu-es over wat anders,' en met uitzicht op het raam: 'Verhip, daar heb je moeder met Betsy.'
'Moeder?' herhaalt ze: 'Wat moet die hier?'
Dat weten ze gauw genoeg. Bets met de kleindochter aan haar hand stuift naar binnen, zegt boe noch bah, smijt haar hoofddoek op tafel, kijkt naar haar zoon en snauwt: 'Mooi dat ik je hier tref en dat je niet bij die meid zit.'
Moeder, denkt hij, de haren hoog, dat wordt ongenoegen, en vraagt: 'Is er wat moeder?' Het zal wel weer over Jeanne gaan.
'Of er wat is?' Dan fel: 'Nee, jij weet niks, dat komt ervan als je samen hokt.'
Hij norst: 'Kan je dat niet anders zeggen waar dat kind bij is?'
'Het draait om die meid, als je dat maar weet,' en tot haar kleindochter die vlechtjes breit van de franjes van het tafelkleed: 'Laat dat en kijk-es, weer een scheur in je jurk, jij bent een meid waar niks van terecht komt.'
'Moet dat nu zo, moeder,' probeert Truida te kalmeren, daarbij sommige eigen buien van antipathie tegen Betsy vergetend: 'Een kind is en blijft een kind.' Da's olie op het vuur, en bij Bets slaat de vlam in de pan: 'Ik kom voor je broer en niet voor jou, en trek niet partij voor die meid, vandaag of morgen komen ze d'r halen.'
'Wie?' mengt Luit zich in het gesprek.
'Wie, wie? De politie! Ja, kijk maar niet zo ongelovig, mevrouw gapt snoep uit de winkel van Noot.'
'Is dat zo Betsy, wat opoe hier zegt,' streng wendt hij zich tot

het kind, trekt haar naar zich toe: 'Steel jij snoep? Nou, ver-tel-es?'

Betsy, die de storm van opoe al over zich heen heeft gehad, en daardoor half murw, zegt met een zacht stemmetje: 'Kan ik het hellepe als Daantje zegt 'we gaan snoepies gappen'.'

Aha, Daantje, de aalvlugge buurjongen, verguisd en aanbe-den door Betsy. En er is er nog één die de oren spitst, da's Bets. Jawel, Daantje, maar de ergernis en ongehoorzaamheid van haar kleindochter, die in het kielzog van Daantje mee-gaat, weegt niet op tegen al dat andere wat aan haar – Bets – kleeft, en dat zoekt een uitweg, met een blik op haar klein-dochter valt ze verbeten tegen haar zoon uit: 'Dat komt er nu van als je je paadje verlegt, daar wordt dat kind de dupe van, gaat het van kwaad tot erger.'

Wacht even, de wind is gedraaid, opeens waait de wind uit een heel andere hoek, vergeten is Betsy, nu krijgt hij de volle laag. Hij norst: 'Ben ik nu de gebeten hond?'

'Gebeten hond?' snauwt ze hem toe: 'Zal ik je-es wat zeggen, wij zijn hier in de buurt de gebeten hond. Zoals jij halsover-kop naar die meid toe holt, dat geeft aanleiding tot 'sappige' commentaren.'

'Die meid,' antwoordt hij rustig: 'U bedoelt Jeanne.'

'Die meid, ja, die schijnheilige kwezel met d'r onschuldige gezichie, maar ondertussen...' Zo, het is gezegd en ze voelt zich waarlijk opgelucht.

Maar door hem slaat de drift, met snijdende stem valt hij uit: 'Let een beetje op je woorden, moeder, je zoon is geen snot-neus meer, en wat er tussen mij en Jeanne is kan jij niet door-gronden, laat staan begrijpen, probeer dat-es te onthouden.'

Ze grinnikt een beetje zuur maar toomt in, het is waar, hij is geen snotneus meer, maar een volwassen vent waar geen smetje op rust, en in zijn huwelijk alleen voor Guurtje leefde. En d'r oudste dochter ook met een Jongkees. Lanting en Jongkees, twee namen die aan elkaar verkleefd zijn.

'Tante Jeanne is lief, hè pap?' Da's Betsy en wat ze zegt slaat in. Twee paar ogen kijken haar naar innerlijke stemming aan.

Truida onthutst-verwonderd en Bets vernietigend-haatdragend, en weg de reden waarom ze hier kwam, ze bolt haar lippen en zegt met een blik op haar kleindochter: 'Zo zo, zijn we al zover, tante Jeanne.'

En Truida kregelig: 'Dat heb je mooi stil gehouden, Luit.'

En Luit gepikeerd: 'Ik ben anderman geen tekst en uitleg schuldig,' en tot Betsy, die heel genoeglijk op zijn knie hangt: 'Moet je het weer dadelijk overklessen?'

'Het is toch zo,' verwonderd kijkt ze hem aan: 'We benne toch bij tante Jeanne geweest?'

'Waarom mag dat kind niks zeggen?' haakt Bets erop in: 'Of wil je het voor ons geheim houden?'

'Hier blijft niks geheim,' norst hij: 'Ze genieten als ze met pek kunnen smeren,' en met een blik op zijn zuster: 'Dat weet jij ook, Truida, je kunt er ook van meepraten.'

Of ze het weet, daar wordt ze dagelijks nog aan herinnerd. Hanneke... Ze stroeft: 'Verschuil je niet achter mij, wil je, bemoei je maar met je dochter. Me dunkt, daar heb je je handen vol aan.'

Juist, Betsy de handenbindster, maar engelachtig lief als ze bij Jeanne is, Betsy die met haar klaterend stemmetje de kersverse nieuwe tante over alle kant bewierookt, van 'dit deje we en-as ik weerkom doene we dat, en 's middags bakt tante Jeanne appelpannenkoeken met suiker en kaneel, lekker, hoor. En als ze me moeder was, plukte ik alle dagen bloemen voor haar'.

'Nou, ik hoor het al,' smaalt Bets: 'Het is van stroop, stroop, lekkere stroop, daar kennen wij niet tegenop.'

Bij Truida ligt het heel anders, voor het eerst dat ze Betsy zo hoort praten. 'Als ze mijn moeder was', woorden die als venijnige pijltjes haar hart doorboren, en al zegt ze niks, ze vreet zich erbij op en de tranen springen in haar ogen. Daar sloof je je nu voor uit, daar is ze jaren als een eigen moeder voor geweest. En nu hoor je dit. Nijdig hort ze haar stoel achteruit en snauwt tegen Luit: 'Duvel ast-je-blieft op en neem die meid mee.'

Een ogenblik hangt er een zwaar zwijgen tussen de drie mensen waarin een ieder vecht met eigen gevoelens. Bets, plots geheel onzeker van zichzelf dat Truida zo tegen haar broer uitvalt, houdt van schrik haar mond, al heeft haar dochter geen ongelijk.

Betsy blij dat in één klap het netelige onderwerp 'politie' van de baan is, en Daantje krijgt ze wel.

En Luit, bij het zien van Truida's somber-bezeerd gezicht, slikt een paar maal moeilijk met droge keel, hij begrijpt haar uitval maar al te goed, voelt met haar me en zegt zachtjes: 'Je moet maar zo denken, ze is nog een kind.'

'Ja,' prevelt ze: 'Een kind, maar hoe?'

'Daar komt Herre Wiersma,' zegt het kind met d'r neus plat tegen het raam gedrukt.

Dat breekt de gespannen situatie tussen hen drieën en Bets – nadat ze Herre beter heeft leren kennen, en nu heel anders over hem denkt – vraagt aan Truida: 'Heb jij vis besteld?'

'Niet dat ik weet, hij zal wel een gratis pondje gerookte paling brengen, zoals iedere week.'

Luit op effen toon: 'Herre is de kwaadste niet.'

'Vind je?' klinkt het klankloos.

'Ja, dat vind ik, een goudeerlijke kerel, een goedlopende zaak, je zou het slechter kunnen treffen.'

'Ach, hou toch op, of ik moeder hoor.' Herre Wiersma die volhoudt, telkens bij haar terugkomt, en rustig aandringt: 'Wat houd je tegen, je bent vrij.'

Zij weert: 'Dat denk je maar.'

Hij met een stille glimlach: 'Je bedoelt Hanneke,' en resoluut: 'Als je de moeder trouwt, neem je ook het kind.'

Zijn woorden ontroeren haar, maar ze zegt: 'Je moet niet zo aandringen, zoek een andere vrouw.' Want achter haar dagelijks leven verleefd nog steeds dat andere leven, waarin gestolen momenten met Jasper Jongkees, van minuut tot minuut, van uur tot uur. Maar de laatste tijd is er iets veranderd in haar, voelt ze een star verzet opstaan tegen de herinneringen van dat andere leven, het lost op in een ijle nevel, verwaast het leed in haar ziel. Er komt rust over haar.

Doch als Bets plotseling uitvalt: 'Ik begrijp jou niet, mijn eigen dochter en dan zo'n goedhartige kerel als Wiersma. Het spijt me dat ik het zeggen moet, Truida, je bent een eigenwijs stuk vreten.'

'Nee,' antwoordt ze gesmoord, met een blik van diepe bezeerdheid op haar gezicht. 'Dat u dat niet begrijpt, begrijp ik. Enfin, laat maar zo,' en loopt de kamer uit.

'Nou moe,' valt Bets verbaasd uit: 'Voelt die zich even op haar teentjes getrapt,' en tot Luit: 'Snap jij d'r wat van?'

'Dat u niet alles moet zeggen wat voor uw mond komt,' antwoordt hij stug: 'Als één d'r portie heeft gehad, is het wel Truida.'

Luit Lanting staat voor het raam en tuurt naar het bezige volk op de werkvloer. Aage Mulder samen met Riekelt Govers spietsen makreel aan, maken de vis klaar om te roken. Riekelt, sinds kort is hij weer terug in de rokerij en hij – Luit – heeft niet zulke prettige herinneringen aan deze man, toentertijd met zijn hoon en minachting op hem gericht, maar dat is verleden tijd en een mens moet niet altijd achterom kijken, maar vooruit. Hij – Luit – als directeur is nu verantwoordelijk voor het bedrijf dat de laatste maanden kampt met een tekort aan vakkundig werkvolk, vandaar dat hij Riekelt met tegenzin heeft aangenomen. Riekelt, de man verstaat zijn vak, maar je weet nooit wat er in hem omgaat, dat was vroeger zo met Giel Blom – nu compagnon bij Herre Wiersma – en da's nog zo zonder Giel, waarvan Riekelt zei: 'Als die gozer er nog was, dan zag je me hier niet, Lanting,' en van Riekelts kant bekeken een begrijpelijke onredelijkheid. Het overige volk zijn als een steun voor elkaar op de werkvloer, maar Riekelt gaat daaraan voorbij, wat hem – Luit – hindert, en al kon hij vroeger de man zijn bloed wel drinken, nu denkt hij anders over hem, voelt hij soms medelijden met hem. Zou het dan toch zo zijn dat naarmate een mens ouder wordt milder gaat denken?

159

Hij drukt zijn voorhoofd tegen het verkoelend glas, dat doet hem goed, de laatste dagen kampt hij nogal met hoofdpijn, en is blij als hij 's avonds het werk de rug toe kan keren, maar de nooit aflatende zorg neemt hij mee naar huis, soms heeft hij het gevoel of een stalen band om zijn kop zit geklemd, die zijn hersens samendrukt, zodat hij in zijn denken wordt belemmerd en de verantwoordelijkheid voor alles hier des te zwaarder op zijn schouders drukt, en als Jasper junior nou es... Maar die zwerft God weet waar door Frankrijk en laat niks van zich horen.

En Jeanne wil hij – Luit – met al die besognes over en op het werk niet langer meer lastigvallen. Jeanne die zich kopzorgen maakt over Jasper, en klaagt: 'Snap jij zo jongen nou, met recht uit het oog, uit het hart.' Zo denkt Jeanne over haar zoon. En als hij – Luit – een enkele keer iets zegt over de rokerij, is het direct van: 'Ik heb daar geen enkele behoefte aan, trouwens, Jasper viel mij er ook nooit mee lastig, en dat wil ik graag zo houden.'

'Maar ik ben Jasper niet.' Alsof hij met die vergelijking een klap in zijn gezicht kreeg.

Ze schoot in de lach: 'Nee, jij bent Luit,' en wilde haar armen om hem heen slaan, maar hij ontweek haar, en voor het eerst drong de verbijsterende gedachte in hem op: Is ze zo in eigen gevoelens en denken vergroeid dat al wat buitenshuis gebeurt, haar totaal niet interesseert. Dagenlang had die gedachte hem gekweld tot het hem benauwde en hij het haar op de man af vroeg. Het leek hem of ze over die vraag moest nadenken en hij drong aan: 'Nou, zeg het eens.'

Plots greep ze zijn hand, drukte er een kus op, sloeg zwaarmoedig haar ogen naar hem op en zei: 'Wat raar dat je zo over me denkt.'

Ja, zijn gedachten over Jeanne zijn niet meer als in het begin, en hoort hij weer Jaspers stem die eens tegen hem zei: 'In alles is mijn vrouw moeilijk te overtuigen in de noodzaak der dingen.'

Toen vond hij – Luit – hem egoïstisch in zijn denken, maar nu?

Jeanne, die hem plotseling de vraag stelt: 'Houd je nog van me?'

Hij, enigszins verwonderd: 'Natuurlijk kind.'

Ze grijpt zijn arm, drukt zich tegen hem aan, kijkt naar hem op, glimlachend-vragend, en zegt: 'Als we altijd maar samen mogen blijven.'

Hij met een geforceerd lachje: 'Waarom niet?' Wat voor wonderlijke gedachten spelen door haar hoofd?

Ze gebaart suggestief met haar kleine slanke handen: 'Je weet het maar nooit.'

Hij geeft een kneepje in haar wang: 'Ik weet het wel,' en denkt daarbij aan elkaars verlangen, hun innig liefhebben. En ook Jeanne met haar nimmer aflatende zorg voor hem en Betsy, en Betsy die in haar kinderlijke aanhankelijkheid Jeanne adoreert, zelfs zo dat het hem – Luit – soms benauwt.

Lusteloos bladert hij door wat ordners, schuift ze van zich af, vandaag is zijn werklust weggezakt tot in zijn tenen. Hij staat op van zijn stoel, blijft voor het bureau staan, steunt met beide handen op het blad, voelt plotseling zijn leven tot een last, is de nooit aflatende zorg over alles hier hem opeens te veel. Jawel, een prachtjob. 'Directeur', zijn kossie is gekocht, krimp noch kramp in de portemonnee, het volk dat hem naar de ogen kijkt, moeder Bets die haar zoon bewierookt, en hijzelf die in de loop der tijd daar trots bovenuit is gegroeid.

Maar nu zijn er dagen dat hij zich bekaf voelt en zich afvraagt: Waarom heb ik al die 'rompslomp' op m'n hals gehaald, door Jasper die hem in die dagen inspireerde in 'groot' te denken?

Maar Jasper is niet meer en zijn zoon heeft het bedrijf de rug toegekeerd en zoekt zijn heil in het buitenland. En Jeanne dag in dag uit in de rats, je zou zo'n knul. Hij doet nog een paar haaltjes aan zijn sigaret, blaast wat as van het bureau, dooft de half opgebrande peuk in de asbak en komt achter het bureau vandaan, hij gaat nog maar eens een rondje over de werkvloer, dat verzet de zinnen, en vanavond Herre

Wiersma maar eens aanschieten of hij Giel een paar dagen van hem kan 'huren', want aan Giel weet je wat je hebt, maar dat weet Herre ook en die ziet hem – Luit – liever gaan dan komen. Hij zal Truida eens aanschieten, misschien dat zij een goed woordje voor haar broer wil doen en is Herre daar gevoelig voor, je weet het maar nooit.

Een harde klop op de deur, hij schrikt op uit zijn gepeins: 'Ja, binnen.'

De deur gaat open en op de drempel staat – Luit kan zijn ogen amper geloven – Jasper, onverwacht terug van weggeweest.

Hij komt het kantoor binnen, knoopt zijn jack los, reikt hem de hand en zegt op een onverschillig toontje: 'Een tijdje weg-geweest, hè?'

'Ja,' antwoordt hij, nog steeds verbouwereerd, en schudt Jaspers uitgestoken hand.

Een achteloos: 'Ruim een jaar.'

En hij: 'Ik denk iets langer.' Jasper, keurig in de kleren en een bruin gebrande kop en hij heeft warempel een snorretje gekweekt, en hij, nog steeds onthutst door dit plotseling weerzien, gaat erop door: 'Een jaar is een hele tijd.'

Jasper knikt, wrijft met zin hand langs zijn kin en zegt pein-zend: 'Nu is de vogel terug op het nest,' en op een heel ander toontje: 'Lukt het hier allemaal nog een beetje?'

Hij trekt wat onwillig met zijn schouders: 'Af en toe wat krap-te met het personeel.'

'Dat hoor je overal.' Jasper tovert een pakje sigaretten tevoorschijn, houdt het Luit voor: 'Steek-es op, Gauloise, hét merk in Frankrijk.'

Luit houdt zijn aansteker bij en denkt: Wat kan mij Frankrijk schelen, weken martel ik met een gebrek aan personeel, en toch moeten de bestellingen op tijd klaar.

Ze roken en praten en Jasper vertelt enthousiast over zijn vele baantjes in het land van 'Marianne'. Garçon hier, garçon daar, en over Parijs met zijn vele hartverwarmende meisjes, maar vooral over de schoonheid van het platteland met zijn druivenpluk, en eindigt zijn verhaal: 'Je zou het niet geloven,

Luit, ik ben nog een maandje met een tonijnvisser buiten-gaats geweest. O, lala, da's heel wat anders dan op de makreelvangst.'

Jasper vertelt, hij luistert en denkt: Ik ben er niks vurig op dit te horen en geloof niet de helft van wat jij daar kakelt. Kijkt Jasper opmerkzaam aan en zegt: 'Heb je daar in de vreemde nog weleens aan je thuis gedacht, je moeder en de rokerij?'

Verwondering: 'En ik heb jullie een ansicht gestuurd.'

Ach ja, da's waar, die ene ansicht zonder adres, alleen: Groetjes, Jasper, plots Jeanne op zijn netvlies, ze staat met de kaart in haar hand, draait hem om en om, en zegt met een verdrietig gezicht: 'Een brief, is dat zoveel gevraagd, maar zelfs dat blijkt te veel geëist.' En hij, met dat beeld in zijn geest, zegt: 'Ik vind dat geen compliment, één armzalige ansicht in een heel jaar.'

Jasper paft een rookwolk uit, plukt een stofje van zijn broek en stroeft: 'We zijn niet op de wereld om elkaar compliment-jes te maken.'

'Da's waar,' geeft hij toe: 'Maar ook niet om leugens rond te bazuinen.'

Een schichtige blik: 'Leugens zijn soms mooier dan de waar-heid.'

'In jouw geval niet.' Want in Jaspers vluchtig-schichtige blik leest hij de brutale fantasie die hij ophangt. Jasper, hij heeft nooit goed kunnen liegen, viel altijd direct door de mand. Opeens ziet hij het, de volle trekken van het geslacht Jongkees zijn op Jaspers gelaat doorgebroken, de dwingende ogen, de strakke mond, op en top zijn vader. Jasper junior, een aardige knul, oprecht en goudeerlijk. Hij – Luit – heeft hem altijd graag gemogen en zachtjes dringt hij aan: 'Kom nu eens met de waarheid op de proppen, want al wat jij daar ver-telt, daar trap ik niet in.'

Stilte, waarin de geluiden van de werkvloer tot in het kantoor dringt. Jasper knippert een paar maal nerveus met zijn ogen, gluurt onderuit naar Luit.

Luit Lanting, zijn – Jaspers – vader liep in die dagen hoog met hem, door invloed van het verleden? Wat een ieder ter plaatse in de loop der jaren bekend is geworden? Truida Lanting, zijn – Jaspers – moeder heeft toentertijd daar diep onder geleden. Maar of de duvel ermee speelt, nu leeft ze zonder verzet zelf met een Lanting. En met heel zijn gedachten bij de vrouw wier geest hem een jaar lang is voorbij gegaan, vraagt hij zachtjes: 'Lukt het een beetje tussen jullie?'

Hij verstrakt, slikt een paar maal moeilijk en norst: 'Da's een zaak tussen haar en mij, nietwaar? Maar als je er belang in stelt, vraag het haar zelf.'

Jasper, met zichzelf verlegen, herleidt het antwoord in de 'schande' van toen.

En Luit denkt: Van 'vroeger' is in Jasper niets meer te herkennen, niet in zijn kleding, zijn taal, zijn gezicht, in alles is hij veranderd. Als een enthousiaste jongeling is hij van huis gegaan, en als een volwassen gerijpte kerel op het honk teruggekeerd, en hij vraagt: 'Vertel-es, wat zijn nu je verder plannen?'

'Plannen?' Hij steekt weer-es een sigaret op, inhaleert diep en zijn blik glijdt door het kantoor, niets is er in veranderd of verzet, alles is nog net zo als in de tijd van zijn vader.

Vader... plots doet een zwaar gevoel van eenzaamheid hem beven.

Vader die als hij – Jasper – iets deed wat hem niet zinde, scherp tegen hem uitviel en op zijn strepen stond, hem dwong te doen zoals hij het wilde en met harde hand opleidde tot de taak die hem wachtte: het algeheel beheer over de rokerij, en daarin geen enkel excuus duldde, noch van hem noch van moeder. Die dominantie had in hem – Jasper – alleen maar ontsteltenis en verwarring opgeroepen, waardoor hij zijn vader ging haten, en waarin zijn schuchtere trots zich verhief in een koppig verzet. Nooit dat hij een poot in de rokerij zette. Pas na ruim een jaar van een zwervend bestaan in de vreemde, waarin hij met zijn neus op menselijke narigheid en ellende werd gedrukt, toen begreep hij pas dat hij in zijn leven alles verkeerd had gezien en zijn vader verkeerd

164

beoordeeld. Vader, die in zijn weinig hartelijkheid het beste met hem voor had, en ondanks die affaire met Truida Lanting ook met moeder. Plots valt hij uit: 'Weet je, na alles wat ik heb gezien in het buitenland, veel verdriet, minachting maar bovenal verachting, ben ik alles beter gaan begrijpen. En nu vind ik het vreselijk dat ik niet hartelijker tegen mijn vader ben geweest. Nu begrijp ik pas dat hij van me hield en alleen het allerbeste met me voorhad, maar in die tijd dacht ik te veel aan moeder en mezelf.'

'Och,' sust hij – want opeens heeft hij met dat jong te doen – 'het lijkt je nu erger dan het was, maar dat je vader in zijn dagen geen makkelijk heerschap was, dat is me bekend,' en vlug voegt hij er in excuus aan toe: 'En dat kon ook niet met die grote verantwoording die op zijn schouders rustte.'

'Kan zijn, maar moeder bracht ook een goed stuk geld mee.'

Hij knikt: 'Da's me bekend, maar wie maakte het groot: je vader.'

En hij denkt verwonderd: Hoe anders ben ik in de loop der jaren over Jasper Jongkees gaan denken, nu zie ik hem als de grondlegger van dit bedrijf, bekend tot ver over de grenzen. Plots voelt hij zich gejaagd en zegt: 'Nu ben je teruggekomen, eis je je vaders plaats op, en valt er tussen ons veel te regelen.'

Hij doet een greep naar de briefopener, draait hem om en om tussen zijn vingers... Voorbij zijn mooie baan als directeur, bijna zou hij Jasper naar de andere kant van de wereld wensen.

Een kort lachje: 'Hoe denk je dat mijn moeder daarop zou reageren?'

Hij haalt zijn schouders op: 'Hoe moet ik dat weten?' Onrust in hem, hij is al een aantal jaren samen met Jeanne. Jeanne, die zo in de zorg had gezeten om haar zoon. Jasper, die tegenover hem zit en kalmpjes opmerkt: 'Ik moet het weten, niet zij,' en kijkt naar Luit die erbij zit als een geslagen hond, en denkt: Hij ziet mij nu als zijn baas en voelt zichzelf de knecht, buigt zich vertrouwd naar hem toe en zegt: 'Maak je niet overstuur, Luit Lanting, na al wat wij hebben meegemaakt jou nu de laan uitsturen? Waar zie je me voor aan? Ik heb heel andere plannen, wij samen gaan hier verder, bouwen het nog groter uit dan mijn vader ooit had durven dromen, en ga nu mee naar mijn moeder, vragen hoe zij erover denkt.'

HOOFDSTUK 12

Betsy Jongkees is op weg naar haar vader, Luit Lanting. De frisse en vochtige lucht van de namiddag doet haar goed. Het verdrijft de zware druk achter haar ogen. Jasper zegt daar steeds van: 'Je bent aan een bril toe, lieve kind.'

'Een bril? Dan liever contactlenzen, een bril op mijn neus maakt me oud.'

'Oud, jij? Net negentien en dat praat over oud?' Lachend kwam hij naar haar toe, drukte een kus op haar wang en zei: 'De groetjes aan Luit. Maar maak het niet te laat, zoals vorige keer.'

'Naarling, wie maakt het hier nu steeds laat?' Ze gooit een tijdschrift naar zijn hoofd, dat hij lachend ontdook. Hij liep de kamer uit en even later hoorde ze de auto wegrijden. Jasper zegt nooit vader, het is altijd Luit. Dat zint haar lang niet, maar zijn achteloze antwoord is: 'Voor mij is en blijft hij Luit. Daar moet je maar aan wennen.'

Jasper is veel weg en weinig thuis. Jasper draagt nu de verantwoordelijkheid voor de zaak, sinds haar vader met pensioen is. Na het onverwachtse overlijden van tante Jeanne heeft haar vader het heel moeilijk gehad. Hij heeft zich weer in zijn eigen huis teruggetrokken. Met omfloerste stem kan hij tegen Betsy klagen: 'Eerst je moeder, nu tante Jeanne. Het leven is hard, m'n kind. En pas maar op, nu komt de grote verandering.'

'Hoezo?' vroeg ze verbaasd.

'Wacht maar af,' had haar vader gezegd. 'Jasper heeft, net als vroeger zijn vader tegen diens vader: een kop vol idealen.'

'Hoe weet u dat nu?' Jasper vraagt nooit haar mening. En als ze wat zegt gaat hij er achteloos aan voorbij. Maar de verandering was gekomen, eerder dan menigeen dacht en kwam in de persoon van de wethouder, die in zijn portefeuille gemeentebelangen en bouwvergunningen had. De rokerij werd binnen de bebouwde kom niet langer gedoogd. Met gedeeltelijke financiële steun kon het bedrijf verplaatst worden naar de rand van het haventerrein. Jasper, altijd het oog op de toekomst gericht, had er wel oren naar gehad en werkte tot tevredenheid van het voltallig gemeentebestuur aan alle kanten mee.

Betsy vond het maar niks. Weg uit de oude vertrouwde omgeving waarin ze was grootgebracht, ze moest er niet aan denken en had dat Jasper gezegd.

'Als ik je mening wil horen, zal ik je ernaar vragen,' was koel zijn antwoord.

Ze stoof op: 'Ik mag toch wel wat zeggen?'

'Jawel,' had hij gelachen. 'Als je maar verstandige dingen zegt.'

Ze begreep dat ze in dit meningsverschil voor het eerst tegen iets hards in zijn karakter opbotste. Het was de eerst schok in haar huwelijk.

Haar huwelijk, waarvan tante Jeanne had gezegd: 'Jij, trouwen met mijn zoon? Ik raad het je ten sterkste af.'

Ze begreep het niet en voelde zich verward. Dat het juist tante Jeanne was die dat zei. Tante Jeanne met haar fijngevoeligheid en diepe medeleven met anderen, die zich distantieerde van alles wat roddel heet.

'Hoe bedoelt u? Ik hou toch van Jasper?'

Tante knikte. 'Ja kind, en hij van jou, heel veel zelfs. Maar jullie karakters zijn zo verschillend. Jullie zullen tegen eigen wil en recht moeten ingaan wil het tussen jullie slagen.'

Wat moest ze ervan denken? Betsy was er onzeker van geworden, kon alleen denken: Wat heeft dat met ons te maken?

'Wat bedoelt u daar precies mee? Is dit een goedbedoelde raad of een waarschuwing vooraf?'

Tante Jeanne legde haar hand op de hare. Ze boog zich naar haar toe en zei: 'Misschien een sleutel voor de toekomst, dat jullie, als jullie het niet met elkaar eens zijn, toch in begrijpen tot elkaar mogen komen, zowel jij als Jasper.'

Kattig was Betsy uitgevallen: 'Dat u zo over uw zoon praat.'

Tante Jeanne zweeg en was voor het raam gaan staan, stilletjes voor zich uitstarend.

168

'Jasper is qua karakter zijn vader. Houd daar terdege rekening mee.'

Opeens had Betsy meer willen weten over Jaspers vader.

'Vertel eens verder over Jaspers vader.'

'Jaspers vader?' herhaalde tante Jeanne. Maar ze had haar hoofd geschud. 'Welterusten, kind.'

Die woorden van tante Jeanne zijn Betsy bijgebleven. Jasper is een engel voor haar, ze hoeft maar te kikken en ze krijgt het. Maar toch kan Jasper, als zij zich verbaast over het een of ander, hard tegen haar uitvallen: 'M'n hemel, lieve kind, onthoud toch eens wat ik je vertel.'

'Onthouden? Wat onthouden?'

Driftig opeens: 'Over het kantoor.'

Gekrenkt door zijn toon vindt zij: 'Da's toch het kantoor. Wat heb ik daarmee te maken?'

'Alles. Als het op het kantoor vastloopt, kun je hier je boeltje wel inpakken.'

Sloeg dat op haar, op haar vele huishoudelijke tekortkomingen? De aardappels niet gaar, de worteltjes aangebrand, de pap met klontjes. O, ze weet het van zichzelf wel, ze is geen huissloof met een schortje voor, en voelt er ook niet voor om alle dagen in dezelfde tred te lopen, tot ergernis van Jasper. Zij had hem gepikeerd gezegd: 'Je kunt best een huishoudelijke hulp betalen.'

Maar hij had gebelgd geantwoord: 'En jij bent jong genoeg om je handen te laten wapperen.'

Jasper was de 'workaholic'. Hart en ziel legde hij in zijn werk. Wie om raad bij hem aanklopte kreeg een luisterend oor en werd nooit met valse beloftes afgescheept. Daardoor was hij graag gezien, zowel bij zijn concurrenten als onder het werkvolk.

Al die lof over Jasper doet Betsy niets. Zij wil hem 's avonds gezellig thuis hebben. Maar Jasper heeft naar eigen zeggen daar geen tijd voor. Er liggen belangrijker zaken op hem te wachten, vindt hij en weg is hij weer.

Maar gisteravond werd het haar na urenlang wachten te veel.

169

Voor de zoveelste maal was hij de hele avond weg. Gezellig samenzijn was er weer niet bij. Even over elven kwam hij binnen, gooide geagiteerd zijn aktetas op een stoel en zei: 'Tjongejongejonge, wat een dag. Eigen baas, eigen knecht, zeg ik maar. Een kop koffie zal me goed doen.'

'Koffie?' herhaalde Betsy. 'In de gootsteen.'

'In de gootsteen? Je man snakt naar een bakkie. Wat kijk je toch weer lelijk. Kom hier, dan kan ik je een kus geven.'

'Laat dat,' weerde ze af. 'Denk je dat het leuk is voor mij om alle avonden hier alleen te zitten?'

Maar hij pareerde: 'En denk jij dat het zo leuk is, die overstelpende drukte op kantoor, waar iedereen, van hoog tot laag, zich een slag in de rondte moet werken?'

'Kantoor, kantoor, ik hoor niet anders, loop heen. Ik wil mijn man 's avonds gezellig bij me thuis hebben.'

Hij zuchtte. 'Kind, je moet eens weten wat ik wil.'

'Maar jij bent toch de baas, je hebt maar te bevelen en ze knikken.'

'Je hebt er geen grein verstand van,' verzuchtte hij. 'Kom, schenk me nu een kop koffie in.'

'Koffie?' had ze weer tartend gezegd. 'Door de gootsteen.'

Scherp viel Jasper uit: 'Dan zet je maar koffie.'

'Dat had je gedroomd, ga maar naar het cafetaria.' Ze draaide zich om en wilde de kamer uitlopen.

'Wil je hier blijven,' donderde zijn stem. 'Je loopt niet weg als ik je iets zeg.'

Geschrokken was Betsy blijven staan, trillend op haar benen om zijn uitval.

'Wat denk je nou,' vroeg hij bars, op haar toe lopend. Hij greep haar hand, trok haar naar zich toe en kuste haar. Hij haalde zijn hand door haar krullen en zei: 'Jaag me niet tegen je in het harnas, Betsy.'

Ze tart: 'En als ik het wel doe?'

'Dan zijn de gevolgen voor jou.'

Betsy had de stem van tante Jeanne weer gehoord: Jullie karakters zijn zo verschillend.

170

En toch heeft Jasper de liefde in haar gewekt die heel haar geest beheerst: Die man en niemand anders. Nu beziet ze haar huwelijk met een klaardere blik. Jasper is streng in alles, dus ook tegen zijn vrouw. Snibbig viel ze uit: 'Wat denk je wel, je bent mijn heer en meester niet.'

Hij schoot in een lach: 'Nee zeg, stel je voor.' Hij greep haar kin, dwong haar hem aan te zien, en zei: 'Maar vanavond gaan, ondanks je bekorende lieve aanhankelijkheid, je grieven tegen mij wel heel ver.'

Betsy blijft staan voor 'La Femme', waar ze in de etalage een opvallende lila blouse ziet, de kraag en manchetten versierd met zilverkleurige kraaltjes. Een rilling van verlangen gaat door haar heen, die zal beeldig staan bij haar blonde krullen. Niet dat ze een blouse nodig heeft, de garderobekast puilt uit, maar toch... Ze gluurt naar het prijskaartje. Dat is niet mis. Voor dat bedrag kan een huisvrouw een maand lang brood kopen voor haar gezin. Ze staat er een tijdje over te dubben, loopt dan resoluut door. Haar vader zal zich wel afvragen: waar blijft ze? Hè, wat is dat nou, regen! Ze heeft geen paraplu bij zich. Wie denkt er ook aan regen, de dag begon zo stralend.

Ze stapt wat steviger door, vlug de brug over en linksaf de Jansenstraat in. Aan het eind daarvan staat haar ouderlijk huis met pal daarnaast de winkel van Herre Wiersma. Op de grote glimmende winkelruit staat met sierlijke letters 'Wiersma en Co – vishandel'. Vroeger was het een raam met twee kleine zijraampjes, maar Herre en zijn compagnon Giel Blom gaan met de tijd mee.

Giel met zijn lachende snuit, heeft nog een tijdje om tante Mijntje heen gedraaid, maar da's niks geworden. Mijntje zocht een vent met centen. En het is haar nog gelukt ook. Ze woont nu samen met een projectontwikkelaar, een gescheiden man. Bepaald niet moeders mooiste: een mopsneus, dubbele onderkin, bierbuik en kaal bovendien. Wat ziet ze in die man, vroeg heel de familie zich af. Maar opoe Bets wist het antwoord: 'Hij valt om van de poen, en daar is het mijn dochter om begonnen.'

Opoe Bets is nu ver in de tachtig, maar nog goed bij de pinken en nog steeds een tong als een scheermes. Tegen Herre zegt ze vaak: 'Je bent te week tegenover mijn dochter. Je moet een beetje optreje tegen Truida.'

Herre waarschuwt haar: 'Bedenk wel, dat u het hebt over mijn vrouw.'

'Juist,' zegt opoe dan. 'En als er een met d'r gatje in de boter is gevallen is zij het.'

Herre met een schelmse blik op opoe: 'Misschien vindt zij het wel margarine.'

'Ach jij,' stuift opoe op. 'Als het over Truida gaat, valt er met jou niet te praten.'

Heel gemoedelijk is Herres antwoord: 'Houd u er dan buiten.'

Dat snoert opoe de mond, en vader Luit moet er hartelijk om lachen. 'Na alles wat ik heb meegemaakt ben ik van mening dat een mens blij moet zijn met wat hem geschonken wordt. Hoe zie jij dat, Truida?'

Tante Truida haalt haar schouders op en zegt: 'Zo denk jij, maar nog altijd voel ik dat van Jasper en mij als een gemis.'

'Hoezo? Herre is toch goed voor je?'

Afwezig mompelt tante Truida: 'Als alles anders had kunnen zijn.'

'Dat heb je mis, Truida, lelijk mis. Jeanne was er ook nog en dat was de onverbloemde waarheid. Jasper kon niet anders.'

Tante Truida zucht. 'Juist, een gezamenlijke schuld en God alleen weet hoe moeilijk wij beiden het daarmee hebben gehad.'

'En wat denk je dan van Jeanne?' Vader gaat gebukt onder het onverwachte verlies van tante Jeanne. Tegen Betsy zegt hij: 'Er ging iets rustigs en goedmoedigs van haar uit. Dat mis ik nog iedere dag, begrijp je dat, kind?'

Of ze het begrijpt? Aan één kant wel, aan de andere kant niet. Haar eigen moeder Guurtje heeft een wat schraal geluk bij vader gekend, ze hield meer van hem dan hij van haar. Maar toch ook vader, die soms in vreemde tederheid moeder zo kon aanhalen dat het Betsy als kind vanbinnen stil maakte. En nu dan Herre in de familie, die 'fijne' uit Friesland, die tegen al het wel en wee ingaat. Hij vindt: we zijn Gods werktuigen, maar geen blinde werktuigen. Dat is het verschil waar we als gelovigen rekening mee dienen te houden.

Opoe Bets, die het daar helemaal niet mee eens is, geeft gewoonlijk tegengas.

'Het is mooi gezegd, Wiersma, maar ik heb daar geen kaas van gegeten.'

Bij de gedachte aan opoe Bets glijdt er een glimlach om Betsy's mond. De familie beweert dat zij – Betsy – lijkt op haar naar wie ze vernoemd is. Maar al haar jeugdherinneringen gaan eerder uit naar opa Hannes, en zijn grote begrip voor haar, zijn kleindochter. Opoe Bets kon zo venijnig doorratelen over zaken waarmee ze het niet eens was.

Achterom gaat Betsy het huis nu binnen. Vader woont alleen in dit huis met al zijn herinneringen. Hij schrikt op uit zijn dutje als ze binnenkomt.

Ze drukt een kus op zijn wang: 'Was u moe?'

Vader, opeens klaarwakker, gaat rechtop zitten: 'Nee kind, maar als ik alleen ben zak ik weleens weg, vooral met dit sombere weer. Je vader wordt ook een dagje ouder.' Hij streelt liefkozend haar haren. 'Je krullen zijn nat, lieve kind.'

'Het regent, vader.'

'O ja?' Hij tuurt uit het raam. 'Nou je het zegt. Glimlachend vraagt hij: 'Waarom heb je geen regenjas aangetrokken?'

'Toen ik van huis ging scheen het zonnetje volop.' Ze trekt haar jack uit, en hangt het over de stoelleuning. 'Hoe gaat het, vader?'

'Z'n gangetje, kind, elke dag hetzelfde.'

Ze kamt haar haren op in de spiegel, waarin het gezicht van vader wordt weerkaatst. Dat lieve gelaat waarin het leven zijn lijnen heeft gekerfd.

'En met jou en Jasper?'

'Het kan niet beter,' antwoordt ze spottend. 'Bijna iedere dag overwerk op het kantoor en volgende week weer op zakenreis.'

'In eigen land?' Hij toeft even met zijn gedachten bij de rokerij, toen met Jasper senior. Het waren mooie tijden.

'Nee, Frankrijk, een nieuwe zakenrelatie.' Jasper voelt er niets voor om haar als vrouw eens mee te nemen, toen ze dat hem vroeg. Beledigd was ze opgestoven: 'Heb je daar soms een liefje?'

Koeltjes keek hij op haar neer en dan zei hij: 'Leuk om te horen hoe jij over je man denkt.'

Schijnbaar onverschillig stond hij erbij, zo los van alles leek het, ook van haar. Hard viel ze uit: 'Het zou kunnen.'

Ze dacht ook aan Jasper senior. Als kind heeft ze genoeg verhalen over die man gehoord. Nu is ze een jonge vrouw, getrouwd met zijn zoon. Ze denkt over die dingen die ze toen hoorde nu heel anders, ze voelt zelfs soms een jaloerse angst. Toen Jasper vorige maand afscheid van haar nam en de trein instapte voor een reis en hij in de trein door het geopende raam nog even zijn hand door haar krullen haalde, zag ze iets beschuldigends in zijn blik. Snel had ze een andere kant opgekeken en gedacht: Waarom zeg ik toch zulke dingen tegen hem hoewel ik het in wezen niet wil?

'Frankrijk? Da's voor hem geen onbekend terrein.'

'Hoezo?'

Haar vader raadde iets van haar gedachten aan de trek op haar gezicht die ze als kind al had als haar iets dwars zat.

'Wat kijk je timide. Wil je met hem mee?'

'Hij houdt niet van een vrouw in zijn kielzog. Begrijpt u dat nou, zijn eigen vrouw?'

'Jawel, ik begrijp het.' Hij trekt zijn stoel wat naar voren, buigt zich naar haar toe en legt zijn hand op de hare. 'Zaken doen is praten, praten en nog eens praten. Voorzichtig aftasten naar waarheid en gegevens, en altijd je eigenbelang in de gaten houden. Geloof me, kind, dat is niks met je eigen vrouw erbij.'

'Ik hoor het al, u staat aan zijn kant.'

'Lieve kind, ik sta aan niemands kant. Maar probeer je man eens te begrijpen, hij draagt je op handen. Je hebt maar te kikken en je krijgt het, toon toch eens wat dankbaarheid.'

'Maar me meenemen, ho maar.' Betsy bijt op haar lip, ze voelt zich gekrenkt dat haar vader zo reageert.

'Begin je nu weer?' Luit schuift zijn stoel wat achteruit. Betsy was als kind een wildebras, haalde de gevaarlijkste streken uit, zag geen gevaar. Hoe vaak had Guurtje niet tegen hem geklaagd: 'Ze doet me de dood nog eens aan.'

'Je eigen dochter?' had Luit gelachen. 'Wees wijzer.' En toch had Guurtje nog een kind van hem gewild, maar hij wilde niet na alles wat Guurtje tijdens de geboorte van Betsy had moeten doorstaan. Hij hield voet bij stuk. Dat werd de schuring in hun huwelijk. Guurtje leed eronder. Nu hij dagen alleen was met zijn gedachten in het stille lege huis, denkt hij veel aan die periode terug. In zijn zorg om haar, had hij haar in het koude vlakke leven teruggeduwd. Dat zou Jasper nu bij Betsy niet hoeven te proberen, leer hem zijn dochter kennen.

Maar één ding heeft ze wel van Guurtje, het koppige doordrammen dat je er tureluurs van wordt. Zou Jasper dat al hebben ondervonden? Enfin, wat Betsy betreft, houdt hij de teugel wel strak.

Betsy babbelt en vraagt ondertussen aan een stuk door. Hij lacht maar een beetje, hij leeft nu het leven van een oude man.

'Luister je wel, vader?'

'Ja, ik luister.'

'Ik geloof er niks van. Wat heb ik dan gevraagd?'

Wat ziet ze er weer jong uit in dat fleurige jurkje. Dat ronde gezichtje waarlangs het blonde haar levendig krult, en die diep-warme blos op haar wangen. Ze ziet eruit als zestien. En dat is nu een getrouwde vrouw.

'Ziet u dat u niet luistert. Ik had het over tante Truida.'

'Ja, wat is er met haar?' Truida, die voor hem en Betsy zorgde, had nooit tegen de fel levende Betsy opgekund. 's Avonds deed Truida hem haar beklag. Hij hoorde haar opgekropte woede over die meid zwijgend aan, wat steevast eindigde met de 'aanklacht': 'Pak jij d'r nou eens aan.' Hij begreep ten slotte dat wat Betsy betrof voor Truida een 'geven' was, waarvoor ze niets terugkreeg.

Toen hij geheel onverwacht bij Jeanne Jongkees introk, had hij rust gekregen, ondanks het morren van eigen familie, moeder voorop. Jeanne kon het wonderwel met Betsy vinden, en Betsy hing met heel haar hart aan tante Jeanne. Guurtje en Jeanne, de twee vrouwen in zijn leven. Wie van die twee de uitverkorene was? Hij weet het niet. Dat staat boven alle vragen. De herinnering zal bij hem blijven tot hij sterft. Op Betsy's vraag ingaand, zegt hij: 'Het gaat best met tante Truida. Eén keer in de week komt ze samen met Herre hier een kaartje leggen.' Denkend aan die 'rooie' uit Friesland, een zelfbewuste man, weinig hartstochtelijk, maar in wiens gelijkmatige rustige aard Truida houvast heeft gevonden, zegt hij: 'Ze redden het wel, die twee.'

Misschien wel beter dan zijn dochter met haar zorgeloze oppervlakkigheid, die nooit te diep op de levensvragen ingaat. Jasper, streng en dominant in al zijn opvattingen, weet dat. Ook dat hij in zijn strengheid haar hiermee moet vasthouden.

Luit houdt van hem als van een zoon. Houdt Jasper ook van hem? Hij weet het niet. Jasper is altijd vriendelijk en voorkomend tegen hem. Luit stond daar eerder altijd een beetje schuw tegenover. Maar zijn mening hierover is geheel veranderd, niet in het minst door Jaspers aanbod een paar dagen geleden.

Betsy ratelt maar door. Dat tante Truida het toch maar getroffen heeft met Herre, zij een man en Hanneke een vader. En bevalt het Hanneke in de bejaardenzorg? Betsy haalt er haar neusje voor op: 'Waar ze zin in heeft.' En Giel Blom, hoe is het daarmee? Ze heeft hem in geen maanden gezien. 'En tante Mijntje, vader?'

Nee, van Mijntje hoort hij niks, Truida net zomin. Die is altijd wat scherp waar het Mijntje betreft: 'Ze is vervreemd van ons, en hecht niet meer aan het oude leven hier.'

Luit staat in leeftijd het dichtst bij Mijntje. Toen Truida en Mijntje allebei nog in de verpleging waren, hield hij Mijntje altijd de hand boven het hoofd. Misschien voelde Truida daardoor de vervreemding van hun zuster beter dan hij, en is haar verwijt over Mijntje des te scherper? Zijn ouders zijn nu ruim tachtig. Sinds kort wonen ze in het bejaardenhuis. Hen gaat die 'vervreemding' van Mijntje ook niet in de kouwe kleren zitten. Zijn moeder is nog altijd goed bij de pinken. Vader Hannes wordt minder. Als Mijntje ter sprake komt, schudt hij droef zijn hoofd, tuurt naar de bomen in het park en zwijgt.

Dochter Betsy weet van geen zwijgen. Dat heeft ze van opoe Bets, die praatte je in haar jonge jaren ook een paar dove oren aan.

'Vader, luister je wel?' roept ze nu vrolijk lachend.

'Ik ben een beetje moe, kind.'

Ze lacht weer, nu met verwonderde ogen. 'Moe? Jij? Dat hoor ik voor het eerst.' En bezorgd laat ze erop volgen: 'Heb je dat weleens meer, vader?'

'Soms. Je vader is ook geen achttien meer.' Hij veert overeind. 'Zet maar eens een lekker bakkie thee voor ons. In de kast staan de chocolaatjes.'

'Goed vader, wij drinken samen thee.' Ze drukt een kus op zijn wang. Lieve, goeie vader. Ze hield van moeder, adoreerde tante Jeanne, maar vader was haar afgod. Als kind hing ze met heel haar hart aan hem, en nog. Ze heeft hem voorgesteld dat hij bij hen kwam inwonen, het huis is groot genoeg. Vader echter wees het van de hand: 'Ik ken het huis, maar ik begin er niet aan.'

'Waarom niet, je loopt ons niet in de weg.'

Maar resoluut had hij gezegd: 'Jong bij jong en oud bij oud.' Ze wist genoeg. Vader was daarin precies als Jasper; hebben ze eenmaal een besluit genomen dan komen ze er niet meer op terug. Ze berustte erin dat vader het zo wenste te laten, alleen met zijn herinneringen waar hij in kan wegdromen.

Tijdens het theedrinken kijkt ze rond. Het is rommelig in de kamer. Alles staat en ligt door elkaar. Om de week komen zij en tante Truida bij vader het huis schoonmaken. Vorige week was het tante Truida's beurt, maar zo te zien... 'Is tante Truida niet geweest, vader?'

Hij sabbelt op een chocolaatje. 'Tante Truida kan ook niet alles.'

'Wat bedoelt u? Tante Truida en ik hebben nog wel afgesproken...'

Sussend zegt hij: 'Kind, denk toch eens na, de winkel, d'r huishouden en om de week hier. Je tante is ook niet meer een van de jongste, en ik heb zelf gezegd...'

'Ja, als u nu zo begint.' Dan fel: 'Je moet je er niet mee bemoeien, vader, dit is een kwestie tussen mij en tante Truida.'

'Je hebt gelijk, kind, daar moet ik me niet mee bemoeien.' Bij het zien van de grimmige trek op haar gezicht sust hij: 'Wat nou? We gaan toch geen ruzie maken, daar is de wereld toch veel te mooi voor?'

Betsy schiet alweer in de lach.

'Ga je zoete broodjes bakken, vader?'

'Voor jou, ik zou niet durven.'

'En tante Truida?'

'Net zo min. Drink je thee op, die wordt koud.'

Dat doet ze en met een greep naar de theepot vraagt ze: 'Ook nog een bakkie, vader?'

'Schenk maar in.' Zelfs Betsy blijkt in staat vijf minuten haar mond te houden. Een flets zonnestraaltje glijdt naar binnen, tovert een lichtbaan op het rood-pluchen tafelkleed. Luit ziet hoe het grauwe wolkendek nog even wordt doorbroken door een schraal zonnestraaltje. Dat doet hem opmerken: 'Zo kom je straks droog thuis, kind.'

Maar van naar huis gaan komt voorlopig niks. Want daar komt al mompelend Barend het erf opsjokken. Luit ziet de stoere gestalte van zijn broer op zijn klompen naderbij sjokken en zegt: 'Die komt op de thee af, dat is-ie zo gewend.'

178

'Dan treft hij het niet, de pot is leeg.' Maar Luit zegt tegen Betsy: 'Zet maar gauw een vers bakkie, kind, anders is er straks geen huis met hem te houden.'

Barend, de verstandelijke gehandicapte zoon, is nog steeds de zorg van de familie. Alle dagen sjokt hij door de buurt en scharrelt overal wat lekkers op. Bij meneer pastoor kreeg hij het mooist van alles: gekleurde bidprentjes. In een onbewaakt ogenblik had Barend heel de wc beplakt met zijn verzameling. Tot ergernis van moeder Bets die Barend met de stoffer op een aframmeling trakteerde. Barend had haar van de weeromstuit gevoelig in haar duim gebeten. Ze waren beiden een week van streek geweest en vader Hannes had alles als vanouds weer moeten sussen.

Barend was nu een stoere knul van twintig, die 's avonds nog steeds met een koekje naar zijn bed werd gelokt. Sinds hun ouders in het bejaardenhuis wonen heeft Truida de zorg van Barend op zich heeft genomen. Luit was van mening dat ze daar geen goed aan deed, met Hanneke nog over de vloer.

'Neem jij hem dan,' had moeder Bets gebitst. 'Jij hokt in je eentje.'

'Als ik wat jonger was geweest, maar langzamerhand word ik ook een ouwe kerel.'

'Barend moet opgevangen worden. Daar mogen we anderen niet langer aan opofferen,' vond vader in een helder ogenblik. Dat was precies in de roos.

Met de tranen in haar ogen had moeder gereageerd. 'Je moet me vertellen wat ik niet weet. Als we de centen maar hadden.'

Ook Betsy weet daarvan. Ook dat opa toen zijn huis heeft verkocht om in de winkel te investeren. Eerst liep het goed, maar opeens ging de loop eruit. Als door de hemel gezonden kwam Herre Wiersma toen op de proppen. Hij zag wel wat in die zaak en gaf er een goed bod voor. Met goedvinden van de familie, opa voorop, ging al het geld naar vader Luit. Hij kocht zich in, in de rokerij van Jongkees en dat legde de familie Lanting geen windeieren. Ze konden er ruim van leven. Bij al die voorspoed hadden ze één ding een beetje over het hoofd gezien: de zorg later voor Barend. Haar vader weet dat en was nog niet zo lang geleden met een oplossing gekomen. 'Ik de geluksvogel, en Barend de dupe? Dat is op te lossen, als ik mijn huis op zijn naam zet. Mits Betsy ermee akkoord gaat.' Betsy moet daar nog eens goed over nadenken. Ze heeft geen hekel aan Barend. Als kind nam ze het voor hem op, en nog. Maar het huis dat haar toekomt op Barends naam zetten? Daar is ze nog niet aan toe.

Trouwens, ze is niet alleen, Jasper is er ook nog. Toen ze gingen trouwen had hij duidelijk gezegd: 'We trouwen in gemeenschap van goederen, dan valt er niks.'

Daar komt Barend binnenschuifelen. Hij trekt een stoel onder de tafel uit. Met een boms ploft hij erop neer. Betsy knikt hem vriendelijk lachend toe: 'Dag Barendje.' Zolang ze hem kent zegt ze Barendje, al is hij feitelijk haar oom.

'Hier, je thee.' Ze schuift zijn eigen beker over de tafel naar hem toe.

'Lekker.' Hij slaat zijn handen om de beker en slurpt zichtbaar genietend de thee naar binnen.

'Op.' Hij schuift de beker naar haar toe en smakt met zijn lippen.

Ze pakt de beker: 'O, ik begrijp het, je wilt nog meer.'

Zijn ogen beginnen te stralen: 'Lekker, thee.'

'Die lurkt heel de pot leeg,' lacht Luit. 'Enfin, dat is het duurste niet.' Met een blik op Barends wiebelende benen zegt hij lovend: 'Je hebt mooie sokken-an, jong.'

Barend steekt zijn blauwe kousenvoeten naar voren, kijkt er glunderend naar en zegt: 'Van Truida.'

'Ja, ja, Truida verwent jou maar.'

'Truida is lief.' Er glanst een zachte gloed in zijn ogen. 'En Betsy ook.'

'En jij bent ook lief.' Ze streelt zijn hand. Barend mag dan wel de onnozele zijn, maar niemand van de kinderen hier in de buurt plaagt hem. En is er een kwajongen die met veel bravoure tegenover zijn vriendjes het wel waagt, dan trakteert

Barend zonder zich te bedenken hem op een muilpeer, dat het jong sterretjes ziet en zich de tweede keer wel zal bedenken. Nee, ondanks zijn onnozelheid valt er met Barend niet te spotten.

'Hier Barend, neem een chocolaatje.' Betsy houdt hem het trommeltje voor.

'Hebbes,' zegt Barend, graait er vier flikken tegelijk uit, propt ze in zijn mond, smakt en zegt: 'Mmm, lekker, ik wil er nog een.'

'Dat zou je wel willen.' Vlug trekt ze het trommeltje terug.

'Nog één.' Bedelend steekt hij zijn hand uit.

Luit schiet in de lach. 'Nou, vooruit dan, eentje nog. Dan zal ik je naar Truida brengen.' Tegen Betsy zegt hij: 'Blijf je een boterhammetje mee-eten, kind? Je man is toch niet thuis, dus je verzuimt niks.'

'Best, vader.' Ach, waarom ook niet. Die goeierd, ze doet hem er zo'n plezier mee, en haar eigen huis is toch leeg en stil. Als ze nu een kind had... dat verlangen heeft ze onverwachts tegen Jasper geuit.

'Een kind?' had hij onthutst gevraagd.

'Ja, vind je dat zo gek? We zijn man en vrouw.'

'Waar praat je over?' was zijn reactie. 'Je bent net negentien.'

'Nou, en jij loopt tegen de dertig. Als we nog wat willen.'

'We... jij.' Zijn voorhoofd kleurde vluchtig rood, zijn lippen klemden zich vaster... en zij voelde zich in haar vrouwzijn aangetast. Snijdend was haar stem uitgeschoten: 'Je vader dacht er in zijn tijd anders over.'

'Da's waar,' zei hij stroef. 'Maar mag ik je erop wijzen, dat de zoon niet de vader is.' Hij had zijn aktetas gepakt, en ging zo vlak langs haar heen, dat ze vlug een stap moest doen om niet tegen de muur gedrukt te worden. Maar op de drempel bleef hij staan, keerde zich naar haar toe en zei met een smadelijk lachje: 'Wat ben jij een stumper, dat je zo over je man denkt.' En weg was hij.

Ze was hem nagehold. 'Jasper, niet zo.' Het klonk als een noodkreet. 'Laten we... ik...'

'Wacht niet op me,' klonk het koud. 'Vanavond heb ik verga-
dering.' Hij was in de auto gestapt en weggereden. Heel de
verdere dag hadden die woorden haar niet losgelaten en het
groeide uit tot een barstende hoofdpijn. Toch bleef ze heel de
avond op hem wachten.

'Ben je nog op?' vroeg hij verrast, toen hij bij halftwaalf de
kamer binnenstapte.

'Ja,' antwoordde ze. 'En ik heb een erge hoofdpijn.'

Zijn scherpe blik vloog over haar heen. 'Neem een aspirine.'

'Heb ik al gedaan.'

Weer die strakke blik. 'Je had beter naar bed kunnen gaan
dan hier te blijven zitten.'

Ze stond op: 'Dan ga ik maar.'

Hij knikte: 'Daar doe je verstandig aan.'

Met een blik op de klok zei ze: 'Maak je het niet te laat? Het
is al bij twaalven.'

Ver na middernacht hoorde ze hem pas de slaapkamer bin-
nenkomen. Toen hij in bed stapte en zich over haar heen-
boog, merkte hij verrast: 'Wat nou, slaap jij nog niet?'

'Ik kan niet slapen.'

Hij schoof zijn arm onder haar schouders en trok haar naar
zich toe: 'Allemaal muizenissen?'

Ze drukte zich tegen hem aan, gaf hem een kus op zijn wang:
'Ik, eh, het was zo'n nare dag,' en met een snik: 'Ik, jij... je
houdt niet meer van me.'

'Mal wicht, wat haal je je nu weer in je hoofd?'

'Zeg het dan.'

'Wat?'

'Dat je nog van me houdt.'

'Och natuurlijk...'

'Van mij alleen?'

Hij schiet in de lach: 'Denk je dat ik er een harem op
nahoud?'

Als een klein kind zei ze dwingend: 'Ik wil het weten.'

Hij aaide door haar krullen: 'Van jou alleen.'

'Altijd en alleen van mij?' Ze dacht aan Hanneke, het kind van

Jaspers vader en haar tante Truida.

'Altijd en alleen van jou. Gerustgesteld?' Hij kuste haar. 'En nu slapen, morgen is het weer vroeg dag.'

Toen ze 's morgens na een verkwikkende nachtrust wakker werd, voelde ze zich als herboren. Op de wekker zag ze dat het tien uur was. Jasper was al vertrokken en had haar laten slapen, de lieverd.

Dat angstgevoel van verlatenheid was verdwenen, ze kon weer lachen en zingen en heel de verdere dag verliep verder als een zonnetje.

Bam, het slaan van de klok doet haar uit haar gedachten opschrikken. Ze staat hier haar tijd te verdromen. Straks is vader terug en heeft ze nog de tafel niet gedekt.

Snel pakt ze het tafellaken uit de kast, de bordjes, de messen, de broodschaal. Brood snijden. Hoeveel boterhammen eet vader? Als Luit weer terugkomt staat alles keurig gedekt en zit Betsy aan tafel.

'Dat heb je hem gauw gelapt, meid.' Haar vader gaat zitten en kijkt toe als ze thee inschenkt. Hoe lang is het geleden dat hij met een vrouw aan tafel zat. Daar hoeft hij geen rekensommetje voor op te lossen. En ook het 'geval' Barend hoeft hem geen hoofdbrekens meer te kosten. Dat is opgelost en hoe! Heel de familie zal er van opkijken, Betsy voorop.

'Zei tante Truida nog wat, vader? Smeer eens wat meer boter op je brood, zo droog is het niet te eten.'

'Ja, wat zei Truida? Gewoon, kind, wat alle mensen zeggen tegen mekaar. Dagelijkse praat, zoals jij en ik.'

'En Herre?'

'Herre? Dat draait meestal uit op preekstoelpraat.'

Ze schiet in de lach: 'Bij Herre zit dat ingebakken.' Ze zet haar stevige witte tanden in een boterham.

Bedachtzaam kauwend gaat Luit daarop in. 'Niemand die zo'n rustige invloed op Barend heeft als Herre. Als Barend in een opstandige bui is, is het nu Herre die – net zoals vroeger vader Hannes kon – Barend opvangt en hem tot bedaren brengt. Is het dan toch zo dat Herre door zijn geloof zoveel invloed op Barend heeft, dat hij hem lachend gehoorzaamt? Herre kennende gebruikt hij vast geen bloemzoete praatjes. Net als Jasper, Luits schoonzoon, is zijn zwager Herre iemand die sterk in zijn schoenen staat en recht op zijn doel afkoerst.

'Vader, wil je nog een koppie thee?' Betsy's heldere kijkers stralen saamhorigheid uit.

'Graag kind.' Hij houdt zijn kopje bij.

'Betsy?'

'Ja, vader.'

'We moeten straks eens even praten.'

'Waarover vader?'

'Dat hoor je wel. Je blijft toch nog een uurtje?' Een uurtje langer genieten van haar gezelschap, dat moet-ie te baat nemen. Ze twijfelt. Zal ze blijven? Stel dat Jasper onverwacht eerder thuiskomt en ze is er niet. Jasper – elke vezel in haar lichaam verlangt naar hem.

'Nou?' dringt hij aan. 'Wat doe je?'

Ze beslist: 'Goed, we drinken samen nog een kopje koffie en dan ga ik naar huis.'

'Fijn kind, daar doe je je vader een groot plezier mee.'

Die lieve, vertrouwde trekken op vaders gezicht kent ze zo goed. Vader is precies opa Hannes. Ze leven sterker naar binnen dan naar buiten en bij geharrewar in de familie proberen ze altijd onderling te schikken zonder slaafs te zijn. Snel ruimt ze de tafel af, wast af en maalt koffie, zet vlug een vers bakje koffie.

Daar zitten ze dan. Luit tevreden dampend aan zijn pijp, en Betsy volop ratelend over Jasper. Zijn hart weegt elk woord dat zij over haar man zegt. Altijd op sjouw en bijna nooit thuis, is dat nou zo leuk voor een vrouw? Haar gezicht verstrakt en haar lippen trillen, ze zal toch niet gaan huilen? Vertrouwelijk buigt hij zich naar haar toe, klopt zachtjes op haar hand en zegt met sussende zorg in zijn stem: 'Ja, lieve kind, de gesel van de arbeid treft een ieder met een warm hart en stralende ogen. Dat geldt soms meer voor de baas dan voor zijn knecht.'

'Was u als baas ook zo voor het personeel op de rokerij toen?' vroeg ze morrend.

'Soms, als het nodig was. Maar leuk vond ik het niet.'

'Of ik Jasper hoor.'

'Kind, je kent je man niet half.'

'Kent u hem dan wel?' Verwonderd kijkt ze hem aan.

'Misschien een tikkeltje beter dan jij.' Betsy had een gouden hart, maar kon soms zo onverstandig zijn, opgaand in haar eigen wensen. Als Jasper met zijn nuchter verstand en inzicht dat niet in de hand hield...

Opeens valt ze scherp uit: 'U moet niet denken dat u Jasper beter kent dan ik.'

Hij hoort de boosheid in haar stem en is dadelijk op zijn qui-vive, klopt zijn pijp uit in de asbak en zegt: 'We moeten eens ernstig praten, Betsy.'

Weg was haar boosheid. Bij die ernstige toon van vader veerde ze rechtop. 'Waarover, vader?'

'Over Barend.'

'Barend? Hoezo?' Plotseling schiet een helder weten door haar heen: 'Gaat u toch uw huis verkopen voor Barend?'

Hij schudt zijn hoofd. 'Aan Jasper, maar niet zoals jij misschien denkt.'

'Jasper? Ik zie het verband niet, wat heeft hij ermee te maken?'

'Alles kind. Luister eerst maar eens even.'

Nu wordt ze nieuwsgierig. Ze gaat er echt voor zitten en zegt: 'Vertel maar, ik luister.'

Als haar vader begint te vertellen, luistert ze met stijgende verbazing.

Jasper is bij haar vader geweest met het voorstel zijn huis aan hém te verkopen. Dan blijft het in de familie, en zolang haar vader leeft kan hij onbezorgd in zijn huis blijven wonen. Als Luit Lanting dat wil kan hij zelf met dat geld Barend inkopen in een internaat. En hij besluit met een glimlach naar zijn dochter: 'Dan zit alles bij mijn leven al in het vat gegoten, en zijn er geen haken en ogen meer als ik mijn ogen sluit. Ook is jouw toekomst verzekerd.' Maar dan ziet hij haar onthutste blik. 'Wat zeg je ervan, Betsy?'

'Wat ik ervan zeg?' Bezeerd stuift ze op: 'Hij doet maar en ik weet van niks.'

'Ik vertel het je nu toch?'

'Dat moet híj doen. Bah, waarom doet hij dat achter mijn rug om.'

Sussend zegt Luit: 'Hij kwam slechts met een voorstel. Er is nog niets besloten.'

Ze toomt een beetje in. 'O, nou.' Opeens weer in fel verweer vraagt ze: 'Hij bood zeker een appel en een ei voor het huis?'

'Nee, Betsy, als jij ermee akkoord gaat, wil hij het dubbele betalen van wat het huis waard is, zodat ik en ook je grootouders nog een onbezorgde oude dag hebben.' En een beetje triomfantelijk voegde hij eraan toe: 'En wat zeg je daarvan?'

Ze voelt vaders blik op haar gericht. Haar vader neemt het meestal voor Jasper op. In zijn bezorgdheid juist om haar heeft hij al zo vaak gezegd: 'Kind, kind, wordt het geen tijd dat je je man eens wat beter leert kennen, en vooral begrijpen?'

Met hart en ziel houdt ze van Jasper. Ze voelt zich zijn vrouw, zijn levenskameraad, maar heeft ze hem wel ooit gegeven waar haar vader haar nu van tracht te doordringen: een volkomen vertrouwen.

'Nou, Betsy?' Vader laat niet los, hij verwacht een antwoord van haar, dwingt haar tot een andere wijze van denken. Respect voor andermans denkwijze, zoals van haar man. Zich daar voor het eerst van bewust zegt ze zachtjes: 'Als jullie het met elkaar eens kunnen worden, vind ik het best.'

Betsy is opeens weer mak als een lammetje. Luit ziet weer die lieve lach op haar snoetje en dat doet zijn hart goed.

'We praten er met z'n drieën nog wel over.'

Halfnegen slaat de klok. Is het al zo laat? Betsy springt op, drukt een kus op zijn wang. 'Ik ren naar huis vader, stel je voor dat Jasper toch ineens vroeg...'

Hij glimlacht om haar plotselinge bezorgdheid, en gaat erop door: 'Ja, stel je voor, dan was hij vast hier naartoe gekomen. Wacht even, kind, dan loop ik een eindje met je mee.' Hij pakt zijn jas van de haak en schiet hem aan.

Daar gaan ze. Samen lopen ze door de straat, Betsy aan een stuk door babbelend, hij luisterend en denkend aan oude tijden. 'Scheepswerktuigkundige' had hij willen worden, maar hij kwam uiteindelijk op de rokerij terecht. Het was er hard werken en er was weinig afleiding. Achteraf bekeken was het een gezond, hoewel vermoeiend leven. Jasper senior had het volste vertrouwen in hem gehad en hem alle kans gegeven. Hij had zich kunnen opwerken tot directeur, en was, opnieuw dankzij Jasper, medefirmant in de rokerij geworden. Toch heeft Luit nooit de gedachte van zich af kunnen zetten, dat hij alles min of meer te danken had aan wat er in het verleden met Truida was gebeurd. Wie zal het zeggen?

En nu is zijn eigen dochter met een Jongkees getrouwd. Of het zo moet zijn? Jasper was de zoon van Jeanne Jongkees, met wie Luit, nadat zijn vrouw Guurtje gestorven was, had samengeleefd. Luit houdt van hem als van een eigen kind. Jasper is een verstandige kerel, hij houdt Betsy wel in toom. Luit moet zich over die twee niet zo'n zorgen maken, het komt allemaal wel terecht. En wie weet, wordt hij nog eens grootvader – als Guurtje dat toch eens had mogen beleven. Niet achterom kijken, Luit Lanting, vermaant hij zichzelf, maar vooruit. Wie weet hoeveel mooie nadagen er nog op je liggen te wachten.

Ze zijn aan het eind van de straat gekomen. Op besliste toon bedisselt Betsy: 'Nu ga ik alleen verder. U gaat netjes weerom naar uw eigen huis.'

'Goed, kind.' Gelukkig maar, hij voelt zich waarachtig een beetje moe.

'Dag, vader.' Een paar armen om zijn hals en een zoen op zijn wang. 'Ik kom gauw weer naar je toe, hoor.'

'Doe dat, kind. Dag, Betsy, doe je man de groeten.'

Hij kijkt haar na tot ze bij de hoek van de straat is. Zou ze nog even omkijken? Ja hoor. Daaag, dag vader.' Haar stem golft door de straat.

'Dag Betsy, dag m'n kind.' Dan is ze de hoek om.

Luit voelt een tikje op zijn schouder. 'Ja, ja, Luit Lanting.' Het is de stem van Herre Wiersma, zijn zwager. 'Die Betsy van jou mag er zijn. Je schoonzoon mag zich in zijn handen knijpen met zo'n schoonheid.'

Luits ogen beginnen te glanzen en lachend zegt hij: 'Ze lijkt sprekend op haar moeder.'

'Op Guurtje?' Herre knikt instemmend. 'Ik heb haar goed gekend, een prachtvrouw. Maar loop even mee naar binnen, Truida heeft de koffie bruin.'

Hij aarzelt even, hij heeft tenslotte met Betsy al koffie gedronken.

Herre schiet in de lach. 'Nou, aan je snuit te zien, lijkt dit een moeilijke vraag.' Het was Herre opgevallen dat Luit er wat stilletjes uitzag. 'Of tob je ergens over?'

'Tobben?' Hij haalde zijn schouders op. 'Ik zou niet weten.' Of toch?

Maakte hij zich zorgen om Betsy met haar felle levenshonger, haar nietsontziende uitvallen als iets haar niet zinde en ook haar kinderlijk genieten van de dingen. Jasper misschien? Ach wat, hij moest zich niet zo verdiepen in andermans leven, daar krijgt een mens grijze haren van. Grijze haren, wat heet... zijn kop is bijna kaal.

'Ik ga mee,' besluit Luit.

Het wordt nog een gezellig koffieuurtje bij Herre en Truida. Als hij ten slotte aanstalten maakt om op te stappen, komt ook Herre overeind van zijn stoel.

'Ik loop een eindje met je mee, als je het goed vindt.'

'Waarom niet, je loopt op je eigen benen.' Hij mag zijn zwager wel, een oprechte eerlijke vent met een warm hart voor menigeen. Waar Luit wel nog steeds aan wennen moest, was dat Herre een trouwe kerkganger is, die overal de hand des Heren in ziet. Maar da's Herres zaak, hoewel sinds kort ook Truida van mening veranderd is en zegt: 'Beter de kerk dan de kroeg.' Natuurlijk is dat Herres invloed!

Daar lopen ze dan onder een stralende sterrenhemel, Luit puffend aan zijn pijp, Herre dampend met een sigaar.

'Kijk,' zegt Herre, hij wijst omhoog naar het donkere hemelblauw. 'Daar staat de Grote Beer.'

Ze blijven staan. 'Waar?' De Grote Beer als sterrenbeeld zegt hem niks, voor hem zijn alle sterren gelijk.

Herre wijst nog eens. 'Daar, schuin boven je, een tikkeltje naar rechts.'

Hij ziet alleen maar honderden pinkelende sterren.

'En links de Maagd. Zie je het?'

Hij tuurt en Herre wijst: 'En daar, zie je al die nevelsluiers? Dat is de Melkweg.'

'O.' Luit ziet geen nevelsluiers, laat staan de Melkweg. Hij krijgt kramp in zijn nek van het omhoog turen. Hij vraagt Herre: 'Hoe weet je dat toch allemaal?'

'Als broekie heb ik een tijdje op een garnalenbottertje gevaren.'

'Jij? Daar heb je nooit met een woord over gerept.'

'Waarom zou ik? Niemand heeft me er ooit naar gevraagd.'

'Ik vraag het je toch?'

Lachend zegt Herre: 'En ik geef je toch antwoord,' vergezeld van een klap op zijn schouder.

'Nou, kerel, je vindt de weg verder zelf wel, ik keer weer om naar Truida.'

In gedachten verzonken kijkt Luit Herre een poosje na. Voor de zoveelste maal stelt hij zichzelf de vraag: Houdt Truida van Herre, of leeft in haar hart nog altijd Jasper Jongkees senior? Hij durft het haar niet te vragen en met Herre er niet over te beginnen. Herre, die zo trouw is aan kerk en geloof. Het is er eentje die recht en vastbesloten zijn eigen weg gaat, onbevreesd voor het oordeel en de mening van anderen, die hem nog altijd zien als 'die lange magere rooie' uit Friesland.

Herre zelf lacht daar hartelijk om. 'Laat ze toch, als ze er plezier in hebben.'

Lurkend aan zijn pijp loopt Luit langzaam verder, denkend aan Herre die zo heel veel over het hemelruim weet te vertellen. Vorige week nog wees hij Luit op een vallende ster.

Luit tuurde omhoog, maar zag niks.

Weer wees Herre: 'Man, dat je dat niet ziet. Daar, pal boven je, een vallende ster.'

Toen zag hij het en volgde geboeid de oplichtende streep, die daarna langzaam uitdoofde.

'Zal ik je eens wat vertellen, Luit,' had Herre gezegd. 'Sterren zijn net mensen.'

Vragend had Luit Herre aangekeken.

'Sterren. Waar komen ze vandaan, waar gaan ze naartoe? Ineens vallen ze weg alsof ze nooit hebben bestaan. Zo gaat het met ons mensen precies zo, al denken we dat we heel wat zijn.'

Trekkend aan zijn pijp had Luit Herre peinzend aangekeken. Herres woorden hadden een vreemde bekoring op hem.

'Zo heb ik er nooit eerder over nagedacht.'

Herre lachte en had hem op de schouder geklopt. 'Zo zijn er wel meer. Die blijven in hun eigen gedachten hangen. Ach, je praat niet alle dagen over zulke dingen.'

Daar slaat de klok van het hervormde kerkje. Het schudt hem uit zijn gepeins en hij telt de slagen mee. Elf uur, is hij nog even laat op straat. Vlug zet hij de pas erin, maar de gedachte aan wat Herre allemaal tegen hem zei, laat hem niet los. Mensen zijn net sterren, hoe komt-ie erop?

Nog speelt het door Herre zijn kop als hij de sleutel in het slot steekt en zijn huis binnengaat, waar de poes hem met opgestoken staart tegemoetkomt.

'Zo, Koentje.' Hij aait het dier over zijn zachte poezenvelletje, neemt hem op zijn arm mee de kamer in. Hij steekt het licht niet op, maar trekt zijn leunstoel bij het raam en gaat zitten met de spinnende poes op zijn knie. Vanachter het raam kijkt hij nog eens naar de nachtelijke hemel waar de sterren staan te schitteren.

De woorden van Herre maken hem vanbinnen rustig. Het heimwee naar 'vroeger' raakt verstild. Guurtje en Jeanne. Guurtje, de moeder van zijn dochter. Jeanne, zijn tweede lief-de. Bij beide vrouwen had hij geluk gekend, hoe verschillend ook van aard. Geluk? Geluk is zoiets vreemds. Het mooiste is misschien niet eens het geluk zelf, dat laat je in de roes te veel van het ware leven vergeten. De mens leeft in hartstocht en begeerte, soms zonder rem. Klein en nietig is de mens, en toch soms zo allesvernietigend.

En het enige wat Luit van de Bijbel weet is dat God de mens een eigen wil gaf. Nou, dan gaat de mens wel heel slordig met die eigen wil om. Maar wat Herre zei slaat alles, wat Luit betreft.

'De mens is als een ster. Opeens valt-ie, en foetsie, alsof-ie nooit heeft bestaan.' Hij tuurt naar het hemelruim. De beel-den van Jasper Jongkees, van Guurtje, van Jeanne, tekenen zich voor zijn geestesoog af. Namen zijn het, alleen nog maar namen.

Hoe zei moeder Bets het ook alweer toen ze nog kinderen waren? Als een van de familieleden overleed, wees ze naar de hemel en zei: 'Nu straalt-ie als een sterretje. Kijk hem eens pronken. Nu is alle narigheid en ellende voorbij.'

Herre zegt zus, moeder Bets zei zo, maar het komt op het-zelfde neer. Eens deelde hij zijn leven met Guurtje, met Jeanne, en hij zou het voor geen schatten, hoe groot ook, hebben willen missen.

Nu is het voorbij. Hij teert erop in zijn eenzaamheid. En Betsy dan, zijn oogappel? Betsy is getrouwd en gaat haar eigen weg, samen met Jasper. Hij staat als vader, als toe-schouwer aan de kant. Hij kijkt ernaar, en het is het mooiste en tegelijk het eenzaamste, Betsy loopt in de warme zon van het geluk, en Luit voelt zich als een oude man steeds verder weg daarvan verwijderd.

Jammer. Ach, waarom jammer? Zo gaat het door de eeuwen heen, het ene geslacht moet ruimen voor het ander. Terwijl Herre zegt: Mensen zijn net sterren.

Luit tuurt weer door het raam. Duizenden stralende sterren staan, als lichtjes in het heelal. Wat is dat, een lichtstreep aan de hemel? Een vallende ster, nu dooft-ie uit. Een gestorven mensenziel? Of een knipoog uit de eeuwigheid van Guurtje, of van Jeanne? Vragen, vragen, allemaal vragen. En wanneer lossen die vragen zich op? De mens wikt, maar God beschikt. Er glijdt een glimlach over Luits gezicht. Wordt hij op zijn oude dag dan toch nog vroom? Hij komt zo keurig in Herres straatje terecht. Enfin, hoe zei Truida het ook alweer? Beter de kerk dan de kroeg. En zo is het.

Hij hoort de klok en opkijkend naar de wijzerplaat die in een glimp maanlicht laat zien hoe laat het is, mompelt hij verbaasd: 'Eén uur, zó laat al?' Hij staat op en legt de kat in zijn mandje. Dan schuifelt hij naar de slaapkamer, kleedt zich uit, schiet in zijn pyjama en klimt in bed.

Pas nu voelt hij hoe moe hij is. Hij heeft het gevoel of hij op een veren bed de hemel in zweeft. Is het dan toch zo dat Herre hem de ogen heeft geopend?

Een diepe rust daalt neer over hem. Al is hij dan geen kerkloper, nu weet hij: in Zijn mild begrip voor de dwalingen van de zwakke mens heeft God immer lief gehad. Zijn antwoord gaat boven alle vragen.

Dieper stopt hij zijn hoofd in het kussen. Hij trekt de dekens op tot zijn kin en met een glimlach om zijn lippen valt Luit in slaap.